MANUAL DE FONÉTICA HISPÁNICA

Orlando Alba

MANUAL DE FONÉTICA HISPÁNICA

EDITORIAL PLAZA MAYOR

Manual de fonética hispánica

Producción editorial: Plaza Mayor
Diseño de cubierta: Eva Cruzová

PRIMERA EDICIÓN, 2001

QUINTA EDICIÓN 2014

© ORLANDO ALBA, 2001
© EDITORIAL PLAZA MAYOR, INC., 2001
Avenida Ponce de León #1500
Local 2, El Cinco
San Juan, Puerto Rico 00926
Apartado Postal 3148
Guaynabo, Puerto Rico 00970-3148
ISBN: 978-1-56328-213-3
Impreso en Puerto Rico / Printed in Puerto Rico
Extreme Graphics, Inc.

Contenido

Prólogo

El propósito fundamental de este manual es ofrecer una visión simple e introductoria del sistema de sonidos del español. Sus páginas se dirigen al público general y a estudiantes de nivel medio o avanzado de español, interesados en conocer mejor el componente fónico de la lengua. Se parte de la idea de que la información que se provee sobre la producción de los sonidos, su funcionamiento, sus variaciones, no solo permite entender esos asuntos en teoría, sino que también constituye una sólida base para el logro de un adecuado progreso en la pronunciación.

Una primera versión de esta obra fue publicada hace dos años en Santo Domingo por Librería la Trinitaria, en una edición limitada y de carácter experimental que apareció con el título de *Los sonidos del español*. En esta ocasión aparecen reorganizados algunos capítulos, se han ampliado muchos temas y se han añadido nuevos materiales para las prácticas, así como una sección con las respuestas de los ejercicios.

El contenido se organiza en once capítulos que cubren diversas áreas. El *primero* repasa algunas ideas generales que sirven de antesala a la exposición subsiguiente. En el *segundo* se ofrece una descripción muy breve de los órganos que intervienen en el proceso de fonación, como preparación para el *tercero*, donde se estudia la clasificación articulatoria de las vocales y de las consonantes del español. En el *cuarto*, a su vez, se discuten varios conceptos fonológicos importantes, aplicados particularmente al español. El *quinto* capítulo se dedica a mostrar el alfabeto fonético, de modo que pueda iniciarse el entrenamiento en el proceso de transcripción fonética y fonológica que continuará hasta el final de la obra. El *sexto* y el *séptimo* proporcionan una descripción más o menos detallada de las vocales y de las consonantes, respectivamente.

El *octavo* se ocupa de los problemas relativos a la unión de unos sonidos con otros, lo que constituye una suave transición para el estudio del acento y de la entonación, temas de los que trata el capítulo *noveno*.

Finalmente, para complementar la visión general presentada previamente, se consideró propicio ofrecer algunas nociones sobre el origen de los sonidos del español de hoy y sobre la diversidad de la pronunciación en las distintas zonas hispanohablantes. El capítulo *décimo* consiste en un breve resumen de la evolución fonética del castellano y en el *decimoprimero* se describe muy esquemáticamente la variedad geográfica de los sonidos.

Con el objetivo de facilitar la comprensión y el dominio del contenido, al final de la exposición de cada tema se incluye un conjunto de ejercicios.

Unos tienen un carácter teórico, de revisión de la información suministrada. Otros, en cambio, buscan ofrecer una oportunidad de mejorar, por medio de la práctica continua y repetida, las destrezas de la transcripción y de la pronunciación, utilizando textos de diferente tipo. Conviene insistir en que, tanto los estudiantes nativos que desean mejorar su dicción, como los extranjeros que necesitan realizar progresos en la articulación de los sonidos del español, deben utilizar los textos que se presentan al final de cada capítulo para hacer ejercicios de lectura en voz alta. Y por supuesto, también pueden y deben reforzar la ejercitación práctica con otras lecturas y sobre todo hablando, conversando mucho fuera del aula. Así como la habilidad en un deporte requiere entrenamiento constante, el *dominio de la pronunciación no es posible sin la práctica asidua, perseverante.*

Al final se añaden, sin llamarlos así, tres apéndices: 1. las *respuestas* a las preguntas de los ejercicios de cada capítulo; 2. un *glosario* donde se formula una breve descripción de los términos más importantes contenidos en el texto; y 3. un compendio de los *símbolos fonéticos* utilizados.

En la exposición de diversos temas, he optado por la versión estructuralista que emplea terminología de base articulatoria y conceptos como los de *fonema, alófono, distribución, neutralización.* La experiencia me ha convencido de que este acercamiento teórico resulta más funcional y útil que otros para lograr propósitos pedagógicos como los de esta obra y es más accesible para el lector no especializado.

Las figuras que muestran los órganos de fonación y los esquemas articulatorios de los sonidos fueron diseñadas por Daniel Chiara, mi eficiente asistente de investigación.

Agradezco a los colegas y a los estudiantes cuyas observaciones a la versión primitiva y experimental de este manual, han contribuido a mejorar muchas de sus páginas. Expreso mi gratitud al Departamento de Español y Portugués, así como a la Facultad de Humanidades de Brigham Young University, por el apoyo ofrecido para la materialización de este proyecto. Y que conste también mi agradecimiento a la Editorial Plaza Mayor por su gentil acogida a esta edición.

Finalmente, no puedo menos que reconocer públicamente a Miriam y a mis hijos, Lisa, Orlando Antonio y David, por la paciencia y la comprensión que han tenido conmigo durante la redacción de este libro. Estoy en deuda con ellos por las tantas horas de su tiempo que les tuve que tomar prestadas. En desagravio, les dedico las páginas de este modesto trabajo.

Provo, UT, septiembre de 2001.

Capítulo I

INTRODUCCIÓN

1.1 Lenguaje, lengua, habla

1.1.1   Todo instrumento que permite la comunicación, la transmisión de información entre dos o más seres, recibe el nombre de *lenguaje*. Según esto, son lenguajes el francés, el español, el inglés, pero también lo son las formas de relación utilizadas por los animales, el conjunto de luces que regula el tránsito urbano de vehículos, el sistema de escritura Braille y otros medios desarrollados por el hombre.

Entre todos los sistemas de comunicación, se destaca uno por ser el más universal, el que ha demostrado ser más eficiente y conveniente para el hombre: el lenguaje natural humano, las *lenguas*.

1.1.2   El empleo de una lengua constituye una forma de comportamiento social que hace posible el intercambio ilimitado de información entre las personas por medio de un conjunto ordenado de signos verbales. A modo de definición se puede afirmar que una *lengua* es un instrumento de comunicación *social, creativo, sistemático* y *oral*.

Tanto por su naturaleza como por su funcionamiento, las lenguas son esencialmente *fenómenos sociales*, comparables a otros hechos humanos, como la vestimenta o los hábitos alimenticios. Su razón de ser consiste en satisfacer las necesidades y los gustos comunicativos de los hablantes. Y, lógicamente, para cumplir con esa función, una lengua tiene que ser colectiva. Su empleo requiere como condición necesaria que sea conocida por muchos. En ese sentido, plantear la existencia de una lengua individual sería como hablar de un círculo cuadrado, lo que implicaría una contradicción terminológica.

En tanto medio de comunicación inevitablemente compartido por un grupo, la lengua es también *abstracta*. Solo así es posible que el conjunto de signos y de reglas que la componen resida en la mente de los hablantes.

Por *creativa* se entiende que permite al usuario producir y entender mensajes completamente nuevos, inéditos, nunca antes dichos ni oídos. Es posible hablar del pasado, del presente, del porvenir; de lo posible y de lo imposible. Esa creatividad es lo que permite expresar la ironía, el insulto, la mentira, pero también la metáfora, el humor, la súplica, la alabanza, los piropos. Se puede, incluso, usar la lengua para hablar de la lengua misma.

Al decir que las lenguas son *sistemáticas* se indica que sus unidades se organizan de acuerdo con una serie de reglas, que constituyen un sistema ordenado. Por ejemplo, es aceptable decir *la gente habla de todo*, pero no *gente la todo de habla*. Del mismo modo, cualquier hablante de español sabe que *mucho* es una palabra de la lengua, pero que una combinación como *uomch* no lo es ni puede serlo, a pesar de estar formada por los mismos sonidos. El conocimiento o el dominio que tienen las personas de ese sistema, que las capacita para entender y producir adecuadamente los mensajes, se llama *competencia lingüística*.

Por otra parte, las lenguas son instrumentos acústico-auditivos de comunicación. Son sistemas *orales* que utilizan el *sonido* como su vehículo primario y natural. La *oralidad* constituye, sin duda, un rasgo esencial de las lenguas. Así lo indica el hecho de que no existe ni ha existido lengua alguna que no se haya manifestado verbalmente y de que, por otra parte, los niños adquieren el dominio de la lengua hablada de manera natural y espontánea, sin necesidad de enseñanza formal.

Indudablemente, existen ventajas prácticas que justifican la selección del sonido y no de la imagen o del color, como medio de transmisión. Una de esas ventajas se manifiesta en el hecho de que los sonidos pueden ser producidos utilizando recursos naturales, como son el aire y los órganos del propio cuerpo, en tanto que el uso de colores o imágenes requeriría el empleo de medios artificiales, ajenos al organismo humano. Otro beneficio consiste en la posibilidad de comunicarse en la oscuridad.

1.1.3 Finalmente, el *habla* es la puesta en práctica, la utilización real de la lengua en un momento dado por parte de una persona. Podría decirse que *hablar* es aplicar concretamente el conocimiento abstracto del sistema lingüístico, es emitir, y comprender, enunciados construidos con los signos de la lengua, las *palabras*, de acuerdo con las reglas que rigen su ordenamiento. Se trata de un hecho necesariamente individual. Así como nadie puede caminar por otro, ni comer por otro, tampoco es posible sustituir a un hablante en el acto de producir sonidos. *Nadie puede hablar por otro*.

En resumen, el *habla* es la actividad o la *actuación lingüística* que realiza la persona que tiene *competencia*.

1.2 Funciones de la lengua

Ya se ha manifestado que la razón de ser de las lenguas es servir como medio de comunicación entre las personas. Para la materialización de ese proceso comunicativo son necesarios varios elementos que se presentan en un esquema muy conocido en todas partes y que tiene la forma siguiente:

14

código
(lengua)

emisor	～ **canal** ～	**mensaje**	～ **canal** ～	**receptor**
(hablante)	(medio físico)	(información)	(medio físico)	(oyente)

referente
(realidad o cosa)

En el caso de la comunicación oral, el esquema se podría explicar así: utilizando un *código* o sistema de signos (la lengua), el *emisor* (el hablante) transmite un *mensaje* que se refiere o trata sobre un *referente* (realidad), a un *receptor* (el oyente) a través de un *canal* o medio físico (el aire).

Efectivamente, la lengua le permite al hablante entrar en contacto con el oyente para enviarle informaciones sobre la realidad, sobre el mundo. Sin embargo, existen otras posibilidades según el componente del proceso comunicativo que tenga mayor importancia en un acto particular de habla.

Tomando como base el esquema anterior, se ha planteado la existencia de seis funciones lingüísticas:

referencial:
(referente)
: la más importante de todas, permite *referirse* a las cosas, al universo, hablar de la realidad exterior.

emotiva:
(emisor)
: sirve para expresar la actitud del hablante y se revela por medio de las interjecciones, principalmente.

conativa:
(receptor)
: se manifiesta a través del imperativo o del vocativo y pretende obtener una reacción, influir sobre el oyente.

fática:
(canal)
: su finalidad es reafirmar, parar o mantener la comunicación, verificar si el circuito funciona, usando muletillas o frases como "¿entiendes?", "sí, sí", "¿no es cierto?".

estética:
(mensaje)
: se da especialmente en la poesía, donde el referente es el mensaje mismo que deja de ser instrumento para convertirse en objeto de la comunicación.

metalingüística:
(código)
: se pone en práctica al usar la lengua para referirse a ella misma o a alguna de sus unidades, como, por ejemplo, cuando se aclara el sentido de un término.

15

1.3 La Lingüística y sus ramas

La ciencia que estudia la estructura y el funcionamiento de las lenguas en todas sus dimensiones se llama *Lingüística*. Sin embargo, como las lenguas son complejas, es necesario que la Lingüística se ramifique en varias subdisciplinas que se encargan de estudiar aspectos particulares.

Entre esas subdisciplinas se destacan las siguientes:

Morfología, que estudia la estructura y la formación de las palabras.

Sintaxis, que se ocupa de la relación de las palabras dentro de la oración.

Semántica, que analiza el significado de las palabras y de las oraciones.

Pragmática, que explica cómo el sentido de las palabras y de las oraciones depende de la situación en la que son utilizadas.

Sociolingüística, que analiza el funcionamiento de la lengua dentro del contexto social para comprobar la influencia que tienen en el habla de las personas factores como su nivel sociocultural o el sexo.

Dialectología, que describe la variedad lingüística a lo largo del espacio geográfico, las diferencias existentes entre una región y otra.

Sicolingüística, que analiza las relaciones entre el lenguaje y las estructuras conoscitivas, para explicar temas como la adquisición del lenguaje.

Lingüística histórica, que estudia la evolución, los cambios que experimenta la lengua a través del tiempo.

Lingüística aplicada, que pone los métodos y los resultados de la Lingüística al servicio de áreas como la enseñanza de idiomas y la traducción.

Y como las lenguas son medios orales de comunicación, es lógico e indispensable que algunas disciplinas se especialicen en el estudio de los sonidos, que son la materia prima del proceso de comunicación lingüística. Las dos ramas de la Lingüística encargadas de estudiar el aspecto fónico de las lenguas son la *Fonética* y la *Fonología*.

1.4 La Fonética

Aunque parece que la Fonética y la Fonología coinciden en estudiar lo mismo, los sonidos lingüísticos, se diferencian, sin embargo, porque lo hacen desde diversos puntos de vista. La *Fonética* realiza un análisis de los sonidos en cuanto realidades materiales. Analiza, por ejemplo, cómo se pronuncia una ele. Una breve observación fisiológica revela que en la articulación de la /l/, la punta de la lengua, llamada ápice, se acerca a los alvéolos y toca esa zona anterior del techo de la boca. Un análisis físico, en cambio, descubre que dicho sonido presenta una concentración de sus frecuencias en la zona alta del espectro acústico. Es un sonido agudo. Desde la perspectiva del oyente habría que estudiar el problema envuelto en la percepción de ese sonido, que se inicia con la llegada de la onda sonora al oído pero que implica una serie de procesos muy complejos de orden neuro- y sicolingüístico.

En cualquier caso, se trata de un estudio del sonido en sí, sin atender a su pertenencia y utilización en una lengua determinada. En síntesis, la *Fonética* se define como la disciplina lingüística que se ocupa de estudiar las propiedades físicas y los procesos de producción y de percepción de los sonidos del lenguaje.

Se puede apreciar, según lo apuntado anteriormente, que esta ciencia está vinculada a la Anatomía, a la Fisiología, a la Física y a la Sicología. La Fonética es, por tanto, una ciencia sintetizadora, interdisciplinaria.

1.5 La Fonología

La *Fonología*, por su parte, adopta un criterio funcional. Su objetivo consiste en estudiar los sonidos desde el punto de vista de su funcionamiento y de su utilización en las lenguas para formar los signos lingüísticos. Así, con respecto a la consonante /l/, por ejemplo, la fonología del español permite establecer lo siguiente:

a. Desempeña una función distintiva: su presencia puede variar el sentido de las palabras. Compárense lana y cana, pelo y peso, mal y mar.
b. Puede aparecer al principio de palabra (lado), en el interior (palo) y al final (papel); también puede estar al principio y al final de sílaba (ma-lo, al-to). Pero, en posición final de sílaba interior de palabra tiene que ir seguida por otra consonante (al-to, al-ma), y cuando comienza una palabra o una sílaba, debe ir delante de una vocal (luna, mula).

Según esto, su comportamiento es diferente al de f, que admite combinación con r y l siguientes al principio de palabra o sílaba (*fresco, cofre, flauta*), pero que casi no funciona en posición final de sílaba (son raros los casos como *difteria*) y no aparece al fin de palabra. Es, por tanto, función de la Fonología explicar que, si bien formas como *lfuta* y *fluta* son ambas inexistentes en español, la primera es imposible (está mal formada y viola la regla según la cual la l inicial de palabra debe ir seguida por una vocal); en cambio, la segunda es posible. El hecho de que no exista es una simple laguna accidental en el léxico español.

En consecuencia, la Fonología puede definirse como la disciplina lingüística que estudia *el sistema de sonidos* de las lenguas.

Ese sistema está constituido por tres elementos:

a. el *inventario* o el conjunto de los sonidos utilizados por una lengua dada;

b. las *reglas* que determinan cuáles combinaciones son permitidas;

c. los *procesos* (cambio, adición, eliminación) que afectan a los sonidos.

Cada lengua tiene su propio sistema de sonidos que exhibe semejanzas y diferencias con respecto al de las demás lenguas. Algunos rasgos comunes a todas, que podrían ser considerados como universales, son la presencia de vocales, como la /a/ y la /i/; de consonantes, como la /p/; o el hecho de que la combinación de consonante más vocal constituya un esquema silábico omnipresente.

Sin embargo, frente a esas semejanzas, existen diferencias en los tres aspectos señalados. Por ejemplo, el inventario del español contiene el sonido /r̄/ "rr", ausente en inglés, que se opone a /r/ (*perro-pero*); en cambio, el inglés diferencia el sonido /š/ "sh", que el español no tiene, de /č/ "ch" (*ship-chip*). Con relación a las reglas, el inglés permite, y el español no, la combinación de /s/ más consonante al principio de la palabra (*stop*). En cuanto a los procesos, el español suaviza o fricativiza las sonoras /b/, /d/ y /g/ cuando están, por ejemplo, entre dos vocales, en tanto que el inglés no lo hace.

En resumen, la Fonética y la Fonología no solamente son ciencias afines, sino interdependientes. La primera estudia los sonidos lingüísticos, no cualquier sonido, en el terreno concreto del habla; la segunda se preocupa por el funcionamiento de los sonidos, ya descritos según sus rasgos fonéticos, dentro del sistema abstracto de la lengua.

1.6 Sonidos y letras

Con frecuencia se confunden los sonidos de la lengua con las letras que los representan en la ortografía, pero se trata de cosas muy distintas. Los sonidos son realidades acústicas que se perciben a través del oído y las letras son realidades gráficas que se perciben a través de la vista. Las letras, también llamadas *grafemas*, son simplemente unas figuras, unos dibujos que sustituyen o representan a los sonidos en el terreno visual.

En primer lugar, hay que subrayar la preeminencia del sonido o del habla sobre la escritura. No tendría sentido pensar en una lengua que no pudiera hablarse. Sin embargo, una lengua puede existir sin escritura, sin letras. De hecho, las hay que solo se manifiestan oralmente y muchos hablantes de lenguas con escritura, como el inglés o el español, no saben leer ni escribir, pero eso no les impide comunicarse eficazmente con el resto de las personas. Y los que son capaces de leer y escribir, pasan más tiempo hablando y oyendo que escribiendo y leyendo.

Por otra parte, se piensa a veces que el español es una lengua que se pronuncia como se escribe. Aunque es cierto que en comparación con otras lenguas, como el inglés o el francés, el desajuste existente entre la pronunciación y la escritura del español es relativamente pequeño, no hay que olvidar que la ortografía de cualquier lengua es nada más que eso: una representación visual arbitraria, aproximada e inexacta de la realidad oral.

En la escritura del español se encuentran casos en los que un mismo sonido se escribe con diferentes letras. Tales letras se llaman *homófonas*. Por ejemplo, el primer sonido de las palabras *cama* y *queso* es una /k/, que se escribe con "*c*" en *cama* y con "*qu*" en *queso*. El mismo fenómeno sucede con las palabras *gente* y *jefe*, que empiezan con el mismo sonido, pero se escriben con "*g*" y "*j*", respectivamente; de forma similar ocurre con las letras "*v*" y "*b*", que desde hace siglos representan el mismo sonido /b/.

En otros casos, sucede lo contrario y dos sonidos distintos se representan con el mismo grafema, que, en consecuencia, es llamado *polífono*. Por ejemplo, la primera y la tercera letra de la palabra *raro* es la misma, una "*r*"; sin embargo, en el primer caso se pronuncia [r̄] (erre) y en el segundo [r] (ere); es decir, se trata de sonidos distintos. Lo mismo pasa con la letra "*c*", que a veces indica /k/ y otras vale por /θ/ (zeta), o por *s* donde no existe θ, como ilustra la palabra *cacique*. Otro ejemplo es el de la "*g*", que puede representar el sonido de la "jota" o el de la "gue", como en *gigante*.

1.7 Divisiones de la Fonética

1.7.1   En situaciones normales, la comunicación supone la participación de dos personas: un hablante (o emisor) y un oyente (o receptor). Estos son los agentes de un proceso que consta de tres fases:

1. *Fase productora*: El hablante inicia el proceso con una actividad síquica: la intención de decir algo. Su cerebro envía instrucciones, a través del nervio recurrente, que activan los músculos responsables de la producción del sonido: el diafragma, las cuerdas vocales, la lengua, los labios.

2. *Fase acústica - transmisora*: El movimiento de los órganos de fonación produce unas vibraciones de las moléculas del aire procedente de los pul-

19

mones. Estas vibraciones constituyen la *onda sonora* que se propaga a través del aire circundante hasta el oído del oyente.

3. *Fase receptora*: Las ondas sonoras ejercen presiones en el tímpano del oyente que se transforman en impulsos neuromotrices transmitidos por el nervio auditivo al cerebro, donde tiene lugar la comprensión del mensaje.

De hecho, la situación descrita es más compleja que la simple relación hablante-oyente. El hablante es también un oyente de su propia voz. Esto le permite confrontar instantáneamente los sonidos que produce con los que intentó producir, y realizar, si es necesario, las rectificaciones de lugar.

1.7.2   Cada una de las fases señaladas constituye el objeto de estudio de una rama distinta de la Fonética:

articulatoria: Se ocupa de estudiar la producción del sonido lingüístico.

acústica: Estudia la composición de las ondas sonoras.

auditiva: Analiza el proceso de percepción de esas ondas acústicas.

Por otra parte, por diversas razones los sonidos experimentan cambios. Algunas de esas modificaciones resultan como consecuencia de las combinaciones de unos sonidos con otros para formar secuencias. Otras, en cambio, se producen a lo largo del tiempo o como efecto de las distancias geográficas. Ambos factores dificultan el contacto y la comunicación entre las personas, favoreciendo así el cambio lingüístico.

Las circunstancias anteriores justifican la existencia de otras ramas de la Fonética:

combinatoria: Estudia las modificaciones que experimentan los sonidos cuando se combinan unos con otros para formar unidades mayores, como son los morfemas, las palabras y las oraciones. Algunos autores la llaman *Fonosintaxis*.

histórica: Se encarga de describir los cambios que a través del tiempo han alterado el sistema de sonidos de una lengua.

geográfica: Describe las modalidades de pronunciación de los sonidos de una lengua según las regiones donde se habla.

En este manual, solo se dedica atención a cuatro de esas ramas de la Fonética: *articulatoria, combinatoria, histórica* y *geográfica*.

1.8 Importancia de la Fonética

Así como a una persona le interesa, o puede interesarle, saber un poco acerca de cómo funcionan los órganos de su cuerpo, como el corazón, por ejemplo, también es importante para cualquiera conocer y entender el fenómeno humano del habla: cómo se producen los sonidos lingüísticos, cuáles son los órganos que se utilizan, entre otros aspectos.

Pero además de ese interés abstracto, la Fonética también tiene gran utilidad práctica en varias áreas, como en la enseñanza de la dicción, en la pronunciación de lenguas extranjeras y en el estudio de otras subdisciplinas lingüísticas entre las que se cuentan la Dialectología, la Sociolingüística y los análisis filológicos y de carácter histórico.

Conocimientos fonéticos, como el funcionamiento de las cuerdas vocales, la posición adecuada de la lengua, el movimiento de los labios, son de gran importancia para enseñar a pronunciar bien, para corregir con acierto las faltas o errores de pronunciación. Lo mismo vale decir para el aprendizaje de una lengua nueva. Por ejemplo, un hispanohablante que aprende inglés necesita distinguir la pronunciación de dos tipos de s: una sorda [s], como en *sip*, y otra sonora [z], como en *zip*; de igual manera, un anglohablante que estudia español debe aprender a diferenciar la articulación de la [b] oclusiva y tensa en *ambos*, de la [β] fricativa y floja en *cabeza*.

Finalmente, podría decirse que resulta poco menos que imposible ser lingüista sin saber Fonética. El estudio de la variación lingüística, tanto la histórica, como la geográfica y la social, requiere amplios conocimientos fonéticos para que pueda llevarse a cabo de manera satisfactoria.

EJERCICIOS DEL CAPÍTULO I

I. Exponga algunas de las razones que explican la preferencia del sonido sobre la imagen como canal físico del lenguaje humano.

_____

_____

_____

_____

II. ¿En qué se parecen y en qué se diferencian la Fonética y la Fonología?

_____

_____

_____

_____

III. Cite algunas de las aplicaciones prácticas de la Fonética.

_____

_____

_____

_____

IV. ¿De qué se ocupa la Fonética combinatoria?

_____

_____

_____

_____

V. CRUCIGRAMA 1

HORIZONTALES:
1. Rama de la Lingüística que se ocupa de estudiar la formación de las palabras.
5. Nombre que se da a todo instrumento o medio de comunicación.
6. Rama de la Fonética que analiza la composición física de la onda sonora.
8. Nombre que se da al grafema que representa más de un sonido.
10. Conocimiento que tienen las personas que las capacita para usar la lengua.
12. Ciencia que estudia la estructura y el funcionamiento de las lenguas.
16. Rasgo de las lenguas que supone el uso del sonido como medio de transmisión.
17. Rama de la Fonética que describe los cambios de sonidos a través del tiempo.
18. Disciplina lingüística que estudia el sentido de las palabras y las oraciones.

VERTICALES:
2. Estudio de los sonidos desde el punto de vista de su funcionamiento.
3. Nombre con el que se designa al hablante, a la persona que emite el mensaje.
4. Rasgo de la lengua en tanto sistema colectivo, frente al habla, que es un acto individual.
6. Rama de la Fonética que estudia la producción de los sonidos lingüísticos.
7. Rama de la Lingüística que explica las relaciones de las palabras en la oración.
9. Ciencia que analiza los sonidos lingüísticos desde un punto de vista material.
11. Letras o signos gráficos que permiten representar los sonidos.
13. Rasgo de la lengua que permite al usuario decir y entender mensajes nuevos.
14. Función lingüística que permite al hablante actuar o influir sobre el oyente.
15. Utilización concreta e individual de la lengua.

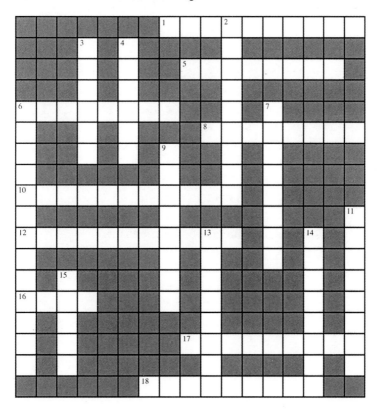

VI. Lea en voz alta los siguientes textos:

6.A   Yo soy un hombre sincero
de donde crece la palma,
y antes de morirme quiero
echar mis versos del alma.

Con los pobres de la tierra
quiero yo mi suerte echar:
el arroyo de la sierra
me complace más que el mar.

Mi verso es de un verde claro
y de un carmín encendido:
mi verso es un ciervo herido
que busca en el monte amparo.

Cultivo una rosa blanca,
en julio como en enero,
para el amigo sincero
que me da su mano franca.

Y para el cruel que me arranca
el corazón con que vivo,
cardo ni oruga cultivo:
cultivo una rosa blanca.
    (José Martí)

6.B   Ni contigo ni sin ti
tienen mis penas remedio:
contigo porque me matas
y sin ti porque me muero.

6.C   Quien bien ama, nunca olvida.

Más vale estar solo que mal acompañado.

Muchos son los llamados y pocos los escogidos.

Capítulo II

EL APARATO FONADOR

2.1 La fonación

La Fonética articulatoria tiene como objetivo estudiar el proceso de fonación, es decir, la producción de los sonidos lingüísticos.

Para producir o pronunciar tales sonidos son necesarios determinados movimientos musculares. Los órganos que intervienen en la realización de ese proceso son llamados *órganos de fonación* o *aparato fonador*, aunque en realidad todos o casi todos esos órganos tienen otras funciones primarias, como son la respiración y la alimentación. Incluyen, entre otros, los pulmones, la laringe, la boca, la cavidad nasal.

Producir los sonidos lingüísticos consiste fundamentalmente en:

a. hacer que el aire contenido en los pulmones salga (suba), pasando por los bronquios y la tráquea;

b. unir o separar las cuerdas vocales, situadas en el interior de la laringe, para que el aire que pasa las ponga o no en vibración;

c. permitir que la corriente de aire salga por la boca y/o por la nariz con mayor o menor dificultad.

En relación con esos tres momentos, los órganos que participan en la producción de los sonidos pueden ser clasificados en los siguientes grupos:

a. cavidades infraglóticas
b. cavidad laríngea
c. cavidades supraglóticas

2.2 Cavidades infraglóticas

Estas cavidades están formadas por los órganos que ejecutan el acto de la respiración: *pulmones* (dos masas esponjosas capaces de llenarse de aire), *bronquios* (conductos en que se bifurca la tráquea cuando llega a los pulmones) y *tráquea* (tubo que comunica los pulmones con la laringe).

En el acto respiratorio, los pulmones realizan dos movimientos:

1. el de *inspiración*, durante el cual absorben el aire. El ingreso de aire exterior provoca un aumento de volumen de los pulmones. El diafragma desciende y las costillas se elevan.

2. el de *espiración*, durante el cual una parte del aire contenido en los pulmones es expulsado. Este aire espirado es el utilizado en la fonación, es la materia prima de los sonidos lingüísticos.

En condiciones normales, el ciclo respiratorio dura unos cinco segundos, distribuidos equitativamente entre la inspiración y la espiración. Sin embargo, como la fonación se produce, salvo casos excepcionales, durante la espiración, al hablar es posible ajustar las proporciones de modo que solo se emplea en la inspiración el 20% del tiempo requerido para el ciclo completo.

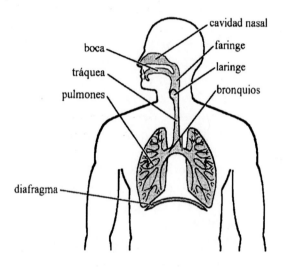

Figura 2.1 Órganos de fonación

2.3 Cavidad laríngea

La corriente de aire espirado pasa desde los pulmones, por la tráquea, a la laringe, que consiste en una especie de caja cartilaginosa situada inmediatamente por encima de la tráquea. Está compuesta por cuatro cartílagos:

a. el *cricoides*, que le sirve de base. Tiene la forma de un anillo.
b. el *tiroides*, que sobresale en el cuello de los hombres (llamado nuez, bocado de Adán). Junto al cricoides forma un tubo corto y ancho.
c. los dos *aritenoides*, pequeños cartílagos en forma de pirámides, colocados sobre la parte posterior del cricoides. Tienen una gran movilidad debido a la acción de un sistema de músculos que los hacen girar, deslizar o balancear.

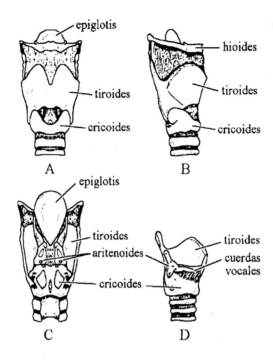

Figura 2.2 La laringe. A: vista frontal, B: vista lateral,
C: vista posterior, D: vista transversal.

En el centro del tubo formado por el cricoides y el tiroides, situadas
horizontalmente en dirección anteroposterior, se encuentran las *cuerdas vocales*, uno de los órganos más importantes del aparato fonador. Son dos
membranas mucosas o pliegues musculares, muy flexibles y elásticos.

Por su extremo anterior se hallan sujetas al vértice o parte delantera
del tiroides; por el extremo posterior, cada una de ellas está insertada en
un aritenoides.

A causa de su gran movilidad, los aritenoides y, por tanto, las cuerdas
vocales, pueden entrar en contacto o separarse más o menos. El espacio
comprendido entre ambas cuerdas vocales se llama *glotis*.

Durante la respiración normal, igual que durante la articulación de
ciertas consonantes, la glotis es amplia, ancha y tiene forma de V. Para la
producción de la mayoría de los sonidos, sin embargo, la glotis debe cerrarse. Cuando el cierre es completo, las cuerdas vocales están listas para
entrar en vibración a causa de la presión del aire que, empujado desde los

pulmones, las obliga a entreabrirse. Pero, como su propia elasticidad las hace volver a cerrarse, se inicia así una serie rapidísima de movimientos horizontales que ponen en vibración la corriente de aire espirado.

El hablante puede modificar, dentro de ciertos límites, la longitud y la tensión de las cuerdas vocales, logrando así el tono deseado. Sin embargo, factores individuales como el sexo, la edad, particularidades personales, condicionan sensiblemente la posibilidad de regir la velocidad de vibración de dichos músculos. Cuanto más largas y gruesas son las cuerdas vocales, más lentas son sus vibraciones. Cuanto más cortas y delgadas, más alta resulta la frecuencia. Por esta razón, es natural que una mujer o un niño hablen y canten en un tono más agudo que un hombre.

La frecuencia media aproximada en un niño es de 264 ciclos por segundo; en una mujer, 223 c.p.s. y en un hombre, 132 c.p.s. Excepcionalmente, la velocidad de vibración de las cuerdas vocales desciende a 60 ó 70 c.p.s. (en las voces masculinas más bajas) y alcanza los 1200 ó 1300 c.p.s. (en voces de soprano).

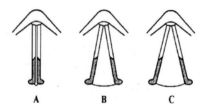

A   B   C

Figura 2.3 Esquema de las posiciones de las cuerdas vocales.
A: en vibración; B: durante la emisión de una consonante sorda;
C: durante la respiración.

2.4 Cavidades supraglóticas

Para la formación de los sonidos lingüísticos no basta con los efectos creados por la laringe. La corriente de aire que pasa por la glotis entra en las cavidades supraglóticas, formadas por la *faringe*, la *boca* y las *fosas nasales*, cuya función principal es actuar como caja de resonancia del sonido. De las tres, la más importante es la cavidad bucal.

El efecto modulador generado por la boca es comparable al que ejerce la caja de una guitarra en la onda creada por la vibración de las cuerdas. La diferencia está en que en la guitarra, las variaciones de tono se producen seleccionando el grosor y cambiando la longitud de las cuerdas con los dedos, y en el acto de habla, la distinción entre un sonido y otro es efectuada principalmente cambiando la forma y el tamaño de la caja de resonancia (la boca) por medio de la lengua y los labios.

A la entrada de la boca están situados los *labios* que, por su gran movilidad, modifican el volumen de la cavidad bucal y, por consiguiente, el timbre del sonido. Inmediatamente detrás se encuentran los *dientes* incisivos superiores, y los incisivos inferiores. A partir del borde superior de la cara interna de los incisivos superiores, comienza una zona rugosa de transición conocida con el nombre de *alvéolos*. El final de esta zona marca el principio de la bóveda palatina que consta de dos partes: el *paladar* duro (zona anterior) y el paladar blando o *velo* del paladar (zona posterior). El velo del paladar es móvil y termina en la *úvula*, una especie de apéndice carnoso que cuelga de su extremo posterior. La función del velo consiste en abrir y cerrar la entrada de la *cavidad nasal*, el conducto que termina o se comunica con el exterior por medio de la nariz. Si el velo está adherido a la pared faríngea, el aire pasa únicamente por la boca. Cuando se separa de la pared de la faringe, el aire sale por la nariz.

En el interior de la boca reside uno de los más importantes órganos del habla: la *lengua*. La lengua está constituida por un conjunto de músculos ligados al hueso hioides. Sus diferentes movimientos permiten cambiar constantemente la forma y el volumen de la cavidad bucal, obteniéndose así la más variada gama de sonidos. La cara superior de la lengua es llamada *dorso* y la punta recibe el nombre de *ápice*.

Finalmente, al fondo de la cavidad bucal está la *faringe*, que comprende el espacio situado desde la entrada de la laringe, por el extremo inferior, hasta el inicio del canal nasal, por la parte superior.

En resumen, pueden distinguirse dos grupos de órganos dentro de la cavidad bucal:

a. *pasivos o inmóviles:*

los dientes incisivos
los alvéolos
el paladar duro

b. *activos o movibles:*

los labios
la lengua
el velo del paladar

31

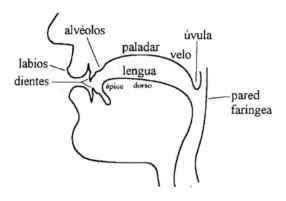

Figura 2.4 Zonas bucales

Los adjetivos correspondientes a los nombres de esos lugares de articulación son los siguientes:

labio:	*labial*	lengua:	*lingual*
diente:	*dental*	alvéolos:	*alveolar*
paladar:	*palatal*	dorso:	*dorsal*
velo:	*velar*	ápice:	*apical*
úvula:	*uvular*	faringe:	*faríngeo*

2.5 La producción de un sonido

En la pronunciación de un sonido se pueden distinguir tres momentos:
1. los órganos articulatorios inician el movimiento con el fin de adoptar la posición adecuada para la emisión del sonido (fase preparatoria, intensiva).
2. los órganos ocupan durante algún tiempo la posición requerida y se produce el sonido (fase tensiva).
3. cuando el sonido ya ha sido pronunciado, los órganos articulatorios se retiran para ocupar una posición de descanso o para iniciar el proceso de articulación de otro sonido (fase distensiva).

EJERCICIOS DEL CAPÍTULO II

I. Seleccione la mejor respuesta:

1.1 La punta o el extremo anterior de la lengua recibe el nombre de:
   a. ápice
   b. dorso
   c. velo
   d. epiglotis

1.2 La abertura triangular creada al separarse las cuerdas vocales se llama:
   a. úvula
   b. faringe
   c. glotis
   d. laringe

1.3 En la producción de los sonidos lingüísticos se utiliza el aire que:
   a. entra a los pulmones durante el movimiento de la inspiración
   b. sale de los pulmones durante el movimiento de la espiración
   c. está contenido en las fosas nasales
   d. ninguna de las anteriores

1.4 Las cavidades infraglóticas están constituidas por:
   a. los pulmones, la boca y la faringe
   b. las fosas nasales, la faringe y la boca
   c. los bronquios, los pulmones y la tráquea
   d. la faringe, los bronquios y la boca

1.5 En el acto respiratorio, la *inspiración* es el movimiento en el que el:
   a. aire es expulsado desde los pulmones
   b. aire exterior entra hasta los pulmones
   c. diafragma se eleva empujado por el aire
   d. individuo se relaja para reiniciar el ciclo completo

1.6 Las cuerdas vocales se encuentran colocadas en el interior de la:
   a. boca
   b. faringe
   c. laringe
   d. glotis

1.7 Son cavidades supraglóticas:
   a. la faringe y la laringe
   b. la boca y la faringe
   c. las fosas nasales
   d. (b) y (c)

1.8 Son órganos movibles o activos en el proceso de fonación:
   a. la lengua, los alvéolos y la úvula
   b. los labios, el velo del paladar y la lengua
   c. la lengua, los dientes y los labios
   d. (a) y (b)

1.9 La función del velo del paladar consiste en:
   a. permitir que el aire entre de la faringe a la boca
   b. abrir y cerrar el paso de la laringe hacia la faringe
   c. abrir y cerrar el paso de la faringe hacia las fosas nasales
   d. ninguna de las anteriores

1.10 La faringe es una cavidad situada:
   a. debajo de la glotis
   b. sobre la cavidad nasal
   c. entre la laringe y la tráquea
   d. ninguna de las anteriores

II. Explique y comente la afirmación siguiente:

"Los procesos de respiración y de fonación demuestran la inteligencia del ser humano que es capaz de *matar dos pájaros con un tiro*."

_____

_____

_____

_____

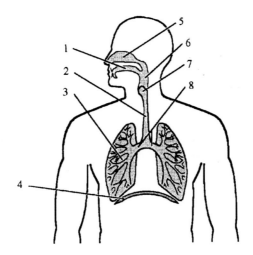

III. Junto a cada número del dibujo anterior, escriba el nombre de la cavidad o del órgano correspondiente.

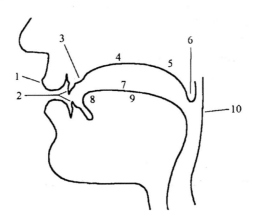

IV. Junto a cada palabra de la lista siguiente, escriba el número que en el
dibujo indica la zona de articulación o el órgano correspondiente.

alvéolos: ___; ápice: ___; dientes: ___; labio: ___;

paladar: ___; pared faríngea: ___; velo: ___; úvula: ___ .

V. CRUCIGRAMA 2

HORIZONTALES:

1. Apéndice carnoso que cuelga de la parte posterior del velo.
6. Cartílago en forma de anillo que sirve de base a la laringe.
9. Zona comprendida entre el borde de los incisivos superiores y el paladar.
11. Músculos que permiten abrir o cerrar la boca.
12. Cartílago de la laringe, de forma angular, colocado sobre el cricoides.
13. Nombre que se da al proceso de pronunciación de los sonidos.
15. Movimiento respiratorio durante el cual el aire sale desde los pulmones.
16. Cavidad situada al fondo de la boca, entre la laringe y el canal nasal.
18. Espacio triangular creado por la abertura de las cuerdas vocales.
19. Cavidad dentro de la cual se encuentra la lengua, limitada por los labios.
20. Órgano activo más importante dentro de la cavidad bucal.

VERTICALES:

2. Se dice de los órganos movibles dentro de la boca, como la lengua y el velo.
3. Zona posterior del techo de la boca, llamada también paladar blando.
4. Superficie superior de la lengua.
5. Tubo que comunica los pulmones con la laringe.
7. Movimiento respiratorio durante el cual el aire exterior entra a los pulmones.
8. Cavidad dentro de la cual se encuentran situadas las cuerdas vocales.
10. Bóveda que constituye el techo de la cavidad bucal.
14. En la producción de un sonido, fase en la que los órganos ocupan la posición requerida.
17. Nombre técnico con el que se designa la punta de la lengua.

VI. Lea en voz alta los siguientes textos:

6.A   Ojos que no ven, corazón que no siente.

Más vale precaver que tener que remediar.

6.B   Las personas que desempeñan ocupaciones relacionadas con el mundo de las comunicaciones (locutores, animadores, comentaristas), o las que necesitan utilizar la lengua como instrumento habitual de su trabajo (maestros, recepcionistas), muestran una tendencia a emplear las formas lingüísticas correctas y de prestigio con mayor frecuencia que otros hablantes de igual o mayor nivel socioeconómico, cuyas funciones no dependen tanto de una habilidad expresiva especial. Aunque es cierto que algunas diferencias dependen del grado de formalidad en el habla, el tipo de ocupación podría servir como una explicación del hecho de que en la televisión dominicana, locutores y presentadores de noticias conserven la /s/ con mayor frecuencia que ciertas figuras importantes de la vida política, económica y social del país, como economistas, ingenieros, políticos, quienes, en definitiva, son los protagonistas de muchos de los acontecimientos que se convierten en noticias.

(Fragmento de *Variación de la /s/ en las noticias de televisión*, de Orlando Alba)

6.C   Hay un país en el mundo

colocado en el mismo trayecto del sol.

Oriundo de la noche.

Colocado en un inverosímil archipiélago

de azúcar y de alcohol.

(Fragmento de *Hay un país en el mundo*, de Pedro Mir)

Capítulo III

CLASIFICACIÓN DE LOS SONIDOS

3.1 Criterios para la clasificación de los sonidos

Los sonidos se pueden definir o describir articulatoriamente según una serie de cuatro parámetros:

a. *la acción de las cuerdas vocales*:
Si las cuerdas vocales vibran, se produce el sonido *sonoro*; si se mantienen inmóviles, se origina el sonido *sordo*.

b. *la acción del velo del paladar*:
Cuando el velo del paladar se une a la pared de la faringe, el aire tiene que salir por la boca, dando lugar al sonido *oral*; en cambio, si el velo baja y se separa de la pared faríngea, el aire sale por la nariz y el sonido se llama *nasal*.

c. *el modo de articulación*:
Los órganos articulatorios pueden presentar un mayor o menor grado de abertura de la cavidad bucal, creándose sonidos muy cerrados, como la consonante /p/, menos cerrados, como la /l/, y muy abiertos, como la /a/.

d. *el lugar de articulación*:
El contacto o acercamiento de los órganos articulatorios puede producirse en diferentes zonas de la cavidad bucal, dando como resultado sonidos anteriores, labiales, palatales, posteriores, etc.

3.2 Vocales y consonantes

La distinción tradicional entre vocal y consonante está basada en una serie de razones fonéticas. En primer lugar, los sonidos vocálicos son pronunciados con mayor abertura del canal bucal que los consonánticos porque en su producción actúan los músculos depresores, que hacen descender el maxilar inferior, y en la de los segundos intervienen los músculos elevadores, que tienden a subir el maxilar. Por otra parte, en la pronunciación de las vocales hay mayor tensión de las cuerdas vocales, lo que les da un tono más alto que el que caracteriza a las consonantes.

41

Desde el punto de vista fonológico, en español las vocales son los únicos sonidos que tienen la capacidad de actuar como centro o núcleo de sílaba. Las consonantes solo pueden aparecer acompañando a las vocales en las posiciones marginales de la sílaba, antes o después del núcleo.

3.3 Las vocales

La descripción fonética completa de las vocales, según los criterios articulatorios presentados antes, incluye rasgos como sonoro (por la acción de las cuerdas vocales); oral (por la acción del velo del paladar); alta, media o baja (por su modo de articulación); anterior, central o posterior (por su lugar de articulación).

En cambio, para la identificación fonológica de las vocales no son necesarios todos esos rasgos. De hecho, es suficiente la consideración del modo y del lugar de articulación, porque según la acción de las cuerdas y del velo del paladar, todas las vocales españolas son normalmente sonoras y orales. La indicación de esas características resulta redundante o inútil para distinguir una vocal de otra.

A. Las vocales según el modo de articulación

A.1.   Altas o cerradas: /i, u/

La lengua se eleva y se acerca al paladar duro o al velo del paladar. La distancia entre los incisivos es de unos 4 mm.

A.2.   Medias: /e, o/

Con relación a las altas, la lengua desciende y se separa más del techo de la cavidad bucal. La abertura entre los incisivos es de unos 6 mm.

A.3.   Baja o abierta: /a/

La lengua se sitúa en una posición de máximo alejamiento con relación al techo de la boca. La distancia entre los incisivos es de unos 10 mm.

B. Las vocales según el lugar de articulación

  B.1.   Anteriores: /i, e/

        La lengua se coloca en la zona delantera de la cavidad bucal,
        debajo del paladar duro.

  B.2.   Central: /a/

        La lengua se sitúa en posición neutra, de descanso, en la zona
        cubierta por el medio paladar.

  B.3.   Posteriores: /o, u/

        El postdorso lingual retrocede y se acerca al velo del paladar.

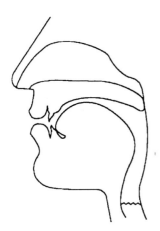

Figura 3.1
Esquema articulatorio de la /i/
(vocal *alta* y *anterior*)

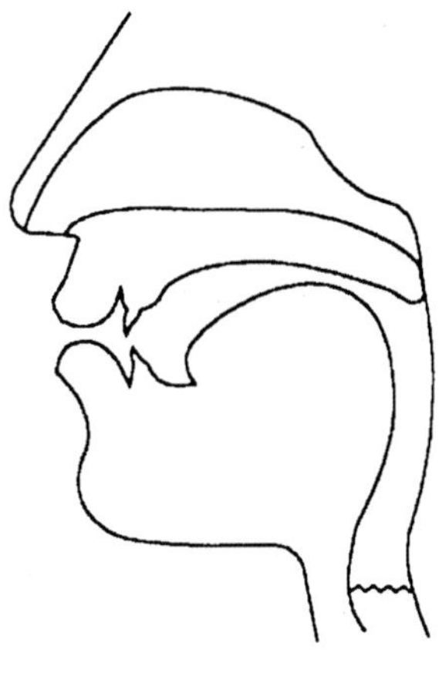

Figura 3.2
Esquema articulatorio de la /u/
(vocal *alta* y *posterior*)

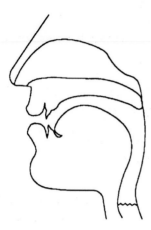

Figura 3.3
Esquema articulatorio de la /e/
(vocal *media* y *anterior*)

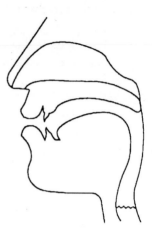

Figura 3.4
Esquema articulatorio de la /o/
(vocal *media* y *posterior*)

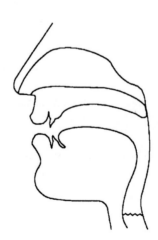

Figura 3.5
Esquema articulatorio de la /a/
(vocal *baja* y *central*)

3.4 Las consonantes

3.4.1   Por la acción de las cuerdas vocales

Según vibren o no las cuerdas vocales, las consonantes se dividen en *sonoras* y *sordas*, respectivamente.

Sonoras: /m/, /n/, /ɲ/ ("*ñ*"), /r/, /r̄/ ("*rr*"), /l/, /λ/ ("*ll*"),
/ǰ/ ("*y*"), /b/, /d/, /g/ ("*g*" o "*gu*")

Sordas: /p/, /t/, /k/ ("*c*", "*qu*" o "*k*"), /č/ ("*ch*"),
/f/, /θ/ ("*z*" o "*c*"), /s/, /x/ ("*j*" o "*g*")

Una forma sencilla de reconocer la diferencia entre sonoridad y sordez consiste en cubrirse los oídos con las manos mientras se pronuncia en voz alta el sonido examinado. Si se pronuncia, por ejemplo, la palabra *el* alargando el último sonido por unos instantes, se percibe un fuerte zumbido de principio a fin. Tanto *e* como *l* son sonoros. En cambio, si se pronuncia la secuencia *es*, dicho zumbido solo es perceptible durante la emisión de la vocal, porque la *s* es sorda. Otro modo de percibir las vibraciones larín-geas consiste en colocar suavemente los dedos en el cuello, sobre la nuez.

3.4.2   Por la acción del velo del paladar

La movilidad del velo del paladar le permite adherirse o separarse de la pared faríngea. Cuando se adhiere, el conducto nasal queda cerrado y el aire debe salir por la boca, como se observa en la figura 3.6. El sonido resultante se llama *oral*. Por el contrario, si el velo se separa de la pared faríngea, queda libre el paso del aire a través de la cavidad nasal, produ-ciéndose así el sonido *nasal*, según se muestra en la figura 3.7.

En español hay tres consonantes nasales:

/m/, /n/, /ɲ/

Las demás consonantes son todas orales:

/r/, /r̄/, /l/, /λ/, /b/, /d/, /g/, /p/, /t/, /k/, /č/, /f/, /θ/, /s/, /ǰ/, /x/

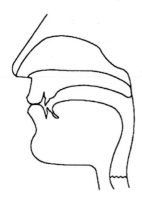
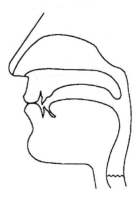

Figura 3.6	Figura 3.7
Esquema articulatorio de [b]	Esquema articulatorio de [m]
(sonido bilabial *oral*)	(sonido bilabial *nasal*)

3.4.3 Por el modo de articulación

Se llama modo de articulación el grado de abertura o cierre que adoptan los órganos articulatorios durante la producción de un sonido.

Según este criterio, las consonantes se dividen en dos grandes grupos:

A. *Obstruyentes*: requieren un considerable grado de obstrucción o de estrechamiento de la cavidad supraglótica que impone un obstáculo a la salida del aire.

B. *No obstruyentes*: el conducto desde la laringe hasta el exterior está relativamente abierto, es decir, hay poca obstrucción de la cavidad supraglótica, por lo que el aire sale con cierta facilidad.

Las obstruyentes se subdividen en *oclusivas*, *fricativas* y *africadas*:

Oclusivas (cierre total):

en la pronunciación de estas consonantes se realiza un cierre completo de dos órganos articulatorios que impide por un momento el paso del aire. Al deshacerse la unión entre los órganos, el aire sale produciendo una ligera explosión. Se llaman también *explosivas* y *momentáneas*.

/p/, /t/, /k/, /b/, /d/, /g/

46

Fricativas (cierre parcial):

durante su realización se produce un estrechamiento del canal bucal debido a la aproximación de dos órganos articulatorios que no llegan nunca a juntarse o que apenas entran en contacto suavemente. A través de esa estrechez del canal bucal, el aire sale rozando. También se les da el nombre de *continuas*.

$$/f/, \quad /\theta/, \quad /s/, \quad /\check{j}/, \quad /x/$$

Con relación a la consonante jota, /x/, hay que señalar que en amplias zonas del mundo hispánico su pronunciación se hace relajada y se convierte en un sonido aspirado [h], una especie de soplo de aire que roza la pared de la faringe.

Africadas (cierre total + cierre parcial):

su articulación comienza con un movimiento de oclusión seguido de otro de fricación. Ambos movimientos se ejecutan en el mismo lugar articulatorio.

$$/\check{c}/$$

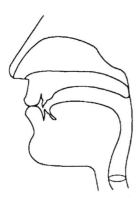

Figura 3.8
Esquema articulatorio de [p]
(sonido bilabial *oclusivo*)

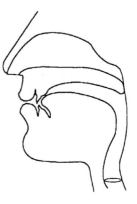

Figura 3.9
Esquema articulatorio de [s]
(sonido alveolar *fricativo*)

Las consonantes *no obstruyentes* se subdividen en *nasales* y *líquidas*:

nasales:

en su realización hay una oclusión bucal y el aire sale por el canal nasal porque el velo baja, separándose de la pared faríngea:

/m, n, ɲ/

líquidas:

dentro de los sonidos consonánticos, son los que tienen la máxima abertura del canal bucal. El conjunto de las líquidas se subdivide en:

laterales:

durante su realización, el aire sale por uno o por los dos lados de la cavidad bucal. En español hay dos:

/l/, /λ/

vibrantes:

durante su emisión el ápice lingual realiza un movimiento vibratorio contra los alvéolos, causando una o más interrupciones momentáneas de la salida del aire. Si hay una interrupción, se llama vibrante simple, como en *caro*; si hay varias, vibrante múltiple, como en en *carro*.

/r/, /r̄/

3.4.4 Por el lugar de articulación

En la articulación de toda consonante interviene un órgano activo que, acercándose o uniéndose a otro órgano, reduce o cierra el espacio de salida del aire en un lugar determinado de la cavidad bucal. Este lugar es el llamado *lugar de la articulación*.

Desde este punto de vista, las consonantes del español se clasifican así:

bilabiales: /p/, /b/, /m/
(órgano activo: labio inferior; pasivo: labio superior)

48

| *labiodentales*: | /f/ |
| | (activo: labio inferior; pasivo: borde de los dientes incisivos superiores) |

| *interdentales*: | /θ/ |
| | (activo: ápice lingual; pasivo: borde de ambos incisivos) |

| *dentales*: | /t/, /d/ |
| | (activo: ápice lingual; pasivo: cara interna de incisivos) |

| *alveolares*: | /s/, /n/, /l/, /r/, /r̄/ |
| | (activo: ápice o predorso lingual; pasivo: los alvéolos) |

| *palatales*: | /ɲ/, /ĵ/, /λ/, /č/ |
| | (activo: dorso de la lengua; pasivo: paladar duro) |

| *velares*: | /k/, /g/, /x/ |
| | (activo: postdorso lingual; pasivo: velo del paladar) |

Cuando la /x/ se convierte en aspirada [h], la lengua no realiza un contacto con el velo y la fricción del aire se produce en la faringe.

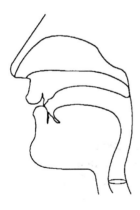

Figura 3.10
Esquema articulatorio de [f]
(sonido *labiodental*)

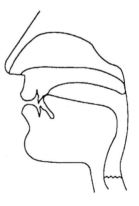

Figura 3.11
Esquema articulatorio de [l]
(sonido **alveolar**)

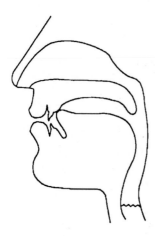

Figura 3.12
Esquema articulatorio de [n]
(sonido *alveolar*)

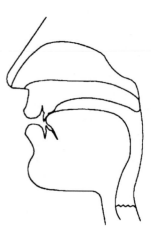

Figura 3.13
Esquema articulatorio de [d]
(sonido *dental*)

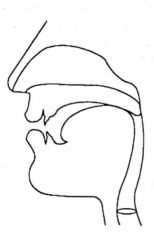

Figura 3.14
Esquema articulatorio de [k]
(sonido *velar*)

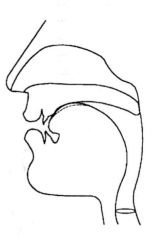

Figura 3.15
Esquema articulatorio de [č]
(sonido *palatal*)

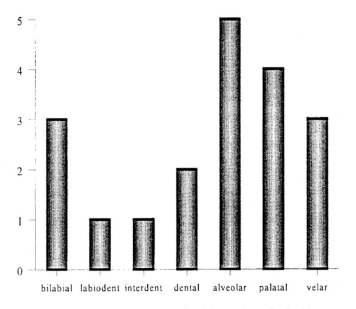

Número de consonantes según el lugar de articulación

La gráfica anterior permite notar que 12 de las 19 consonantes del español, el 63%, se articulan en la zona anterior de la boca, entre los labios y los alvéolos. El resto del espacio, más de dos terceras partes de la cavidad bucal, según muestra la figura 3.16, se utiliza apenas en la producción de siete consonantes.

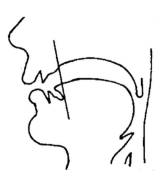

Figura 3.16 División de la cavidad oral

EJERCICIOS DEL CAPÍTULO III

I.   Escriba V o F. Cuando responda F (falso), señale la palabra que debe ser cambiada para convertir el enunciado en verdadero:

1.1 ___ La pronunciación de las vocales requiere mayor abertura de la cavidad bucal que la de las consonantes.

1.2 ___ Las consonantes producidas sin vibración de las cuerdas vocales se conocen con el nombre de sonoras.

1.3 ___ Las vocales /i, u/ son altas, pero /o, u/ son posteriores.

1.4 ___ El término *africado* se refiere al lugar de articulación.

1.5 ___ Las consonantes oclusivas se caracterizan porque su realización conlleva un cierre completo del canal bucal en algún lugar.

1.6 ___ La mayoría de los fonemas del español se articulan en la zona anterior de la cavidad bucal.

1.7 ___ Las consonantes obstruyentes pueden ser sonoras o sordas.

1.8 ___ Al pronunciar las vocales de la palabra *puro*, la lengua retrocede y los labios avanzan adoptando una forma redondeada.

1.9 ___ Por lugar de articulación se entiende la zona de la cavidad bucal donde se aproxima o se une un órgano móvil de la misma cavidad.

1.10 __ Para pronunciar el primer sonido de la palabra *madre* el velo del paladar tiene que estar unido a la pared faríngea.

II.   ¿Existen razones para afirmar que el español es lengua de articulación anterior y que la zona posterior de la boca permanece subutilizada?

_____

_____

_____

52

III. En cada caso, seleccione la mejor respuesta:

3.1 Las consonantes /ǰ, č, ɲ, λ/ tienen en común el rasgo:
    a. sonoro
    b. palatal
    c. fricativo
    d. velar

3.2 Decir que [k] es oclusivo y sordo significa que al pronunciarlo:
    a. el post-dorso lingual se adhiere fuertemente al velo del paladar
    b. las cuerdas vocales no vibran y el aire sale por la boca
    c. hay un cierre completo de la boca y las cuerdas vocales no vibran
    d. (b) y (c)

3.3 Las consonantes /n, l, r, s/ tienen en común el rasgo:
    a. fricativo
    b. alveolar
    c. sonoro
    d. oral

3.4 El velo del paladar es el lugar de articulación de las consonantes:
    a. /k, g, x/
    b. /h, k, ɲ/
    c. /g, s, k/
    d. /x, g, č/

3.5 Cuando se expresa que los sonidos *a, p, s, r, g* son *orales*, se utiliza el criterio de:
    a. la acción del velo del paladar
    b. el lugar de articulación
    c. la acción de las cuerdas vocales
    d. el modo de articulación

3.6 La clase de las obstruyentes comprende a las:
    a. nasales y fricativas
    b. oclusivas, laterales y fricativas
    c. oclusivas, africadas y fricativas
    d. líquidas y nasales

3.7 Una descripción articulatoriamente correcta de /u/ es:
   a. alta y grave
   b. alta y posterior
   c. posterior y baja
   d. débil y posterior

3.8 Según la acción de las cuerdas vocales, las consonantes /t/ y /d/ son:
   a. oclusiva y sonora, respectivamente
   b. sorda y sonora, respectivamente
   c. dentales y orales las dos
   d. oclusivas y dentales las dos

3.9 Las consonantes llamadas líquidas se subdividen en:
   a. sonoras y sordas
   b. vibrantes y nasales
   c. laterales y vibrantes
   d. orales y nasales

3.10 Las cinco vocales españolas son:
   a. orales y sonoras
   b. sonoras y anteriores
   c. orales y fricativas
   d. abiertas y anteriores

IV. Al responder este ejercicio se recomienda pronunciar las palabras, preferiblemente ante un espejo, para descubrir experimentalmente, sin necesidad de memorizarlos, los rasgos fonéticos del sonido examinado.

   4.1 Subraye las palabras que *comiencen* con una consonante:

   a. *bilabial*:   pelo,   vicio,   feo,   casa

   b. *velar*:   llave,   calle,   nada,   gato

   c. *alveolar*:   falda,   tarde,   sala,   lado

   d. *oclusiva*:   queso,   sano,   palo,   fácil

   c. *dental*:   china,   sal,   tanque,   dulce

4.2 Subraye las palabras que *terminen* con:

a. una consonante *sonora*:   pan,   papel,   feliz,   gracias

b. una vocal *cerrada*:   mesa,   aquí,   tabú,   peine

c. una vocal *posterior*:   tribu,   eco,   casi,   bambú

V. Haga el emparejamiento correspondiente entre símbolo y descripción:

/k/:	1. palatal, africada, sorda
/s/:	2. alveolar, nasal
/m/:	3. dental, oclusiva, sorda
/t/:	4. alveolar, fricativa, sorda
/ǰ/:	5. nasal, bilabial
/f/:	6. velar, oclusiva, sorda
/n/:	7. palatal, fricativa, sonora
/č/:	8. labiodental, fricativa, sorda

VI. Señale el segmento que debe ser eliminado para que el conjunto sea homogéneo de acuerdo con el criterio indicado.

Ejemplo: lugar de articulación: /p, b, **f**/   (*f no es bilabial, como /p/ y /b/*)

6.1.   Acción de las cuerdas vocales: /b,   f,   r,   d/

/g,   p,   k,   x/

/s,   t,   ǰ,   č/

6.2.   Modo de articulación: /f,   s,   l,   θ/

/k,   g,   ǰ,   d/

/u,   e,   o/

6.3.   Lugar de articulación: /n, r, t, s/

/r, m, p, b/

/m, č, ɲ, ǰ/

6.4.   Acción del velo del paladar: /č, n, s, f/

/s, m, n, ɲ/

/n, s, r, l/

VII. Identifique el segmento representado por cada dibujo. Si el sonido es sonoro, aparece una línea en zigzag al nivel de la laringe; si es sordo, no. Explique su selección:

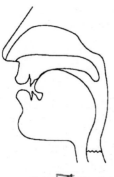

7.1: [n] [ǰ] [ɲ] [č]

sonoro   fricativas
nasal   palatal

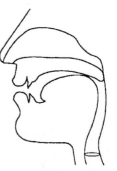

7.2: [k] [ɣ] [x] [g]

SORDO   fricativa
no nasal velar

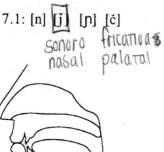

7.3: [b] [p] [m] [f]

sonoro   bilabial
no nasal   oclusiva 56

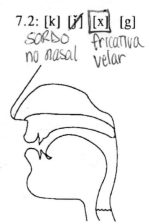

7.4: [a] [o] [e] [ɾ]

sonoro   oclusiva
no nasal

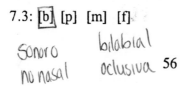

VIII.   CRUCIGRAMA 3

HORIZONTALES:
1. Rasgo común a las vocales /o, u/ según el lugar de la articulación.
4. Nombre dado al sonido producido con vibración de las cuerdas vocales.
5. Consonante, como *f*, que se articula sin cerrar por completo la cavidad bucal.
8. Rasgo exclusivo de las líquidas /r/ y /r̄/.
9. Según el lugar de articulación, rasgo propio de /t/ y /d/.
10. Sonido producido sin vibración de las cuerdas vocales.
15. Nombre del rasgo que caracteriza a /g, k, x/ según el lugar de articulación.
16. Articulación que comienza con una oclusión y termina con una fricación.
17. Rasgo común a las consonantes /p, b, m/.
19. Consonante en cuya pronunciación se produce un cierre total del canal bucal.
20. Sonido en cuya pronunciación el aire sale por la boca.

VERTICALES:
2. Clase que incluye a las consonantes oclusivas, fricativas y africadas.
3. Nombre que se da al tipo de consonante no obstruyente y oral.
6. Término equivalente al de cerradas, aplicado a las vocales /i, u/.
7. Característica común a los fonemas /s, n, l, r/.
11. Rasgo que caracteriza a las consonantes /č, ǰ, ɲ/.
12. Característica que distingue a /m, n, ɲ/ del resto de las consonantes.
13. Tipo de cierre que caracteriza la articulación de las consonantes fricativas.
14. Consonante en cuya pronunciación el aire sale por los lados de la boca.
18. Grado de abertura o de cierre que adoptan los órganos articulatorios.

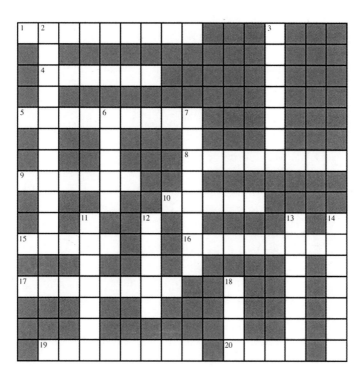

57

IX. Lea en voz alta los textos siguientes:

9.A No me mueve, mi Dios, para quererte
el cielo que me tienes prometido,
ni me mueve el infierno tan temido
para dejar por eso de ofenderte.
(Anónimo)

9.B Amapolita morada
del valle donde nací:
si no estás enamorada,
enamórate de mí.
(Alfonso Reyes)

9.C El que debajo de un árbol se aloja, dos veces se moja.

Dime con quién andas y te diré quién eres.

Del dicho al hecho hay un gran trecho.

Nadie sabe el bien que tiene hasta que lo pierde.

No es tan fiero el león como lo pintan.

9.D Muy cerca de mi ocaso, yo te bendigo, vida,
porque nunca me diste ni esperanza fallida
ni trabajos injustos, ni pena inmerecida;

porque veo al final de mi rudo camino
que yo fui el arquitecto de mi propio destino;
que si extraje las mieles o la hiel de las cosas,
fue porque en ellas puse hiel o mieles sabrosas:
cuando planté rosales, coseché siempre rosas.
(Amado Nervo)

Capítulo IV

CONCEPTOS DE FONOLOGÍA

4.1 Función de los sonidos

La función principal de los elementos fónicos es la *distintiva*, que les permite diferenciar las unidades significativas. Es lo que hacen fonemas como /t, s, r, l/, que distinguen las palabras *pato, paso, paro, palo.*

Otra función es la *demarcativa*, realizada por ciertos rasgos fonéticos que revelan los límites de una palabra o de un morfema. Por ejemplo, en inglés la presencia del sonido [h] permite reconocer el comienzo de una palabra o morfema, porque ese elemento solo aparece en dicha posición. En español, no existe un sonido particular del que se pueda decir lo mismo, pero la aparición de algunos fonemas puede indicar al menos el lugar donde NO hay una frontera léxica, cumpliendo así una función demarcativa *negativa*. Por ejemplo, dentro de una secuencia fonética, el segmento [r] revela que en ese punto no comienza una palabra; por su parte, la presencia de /č/ señala un lugar donde no termina una palabra española.

4.2 Segmentos y suprasegmentos

Es posible distinguir dos tipos de elementos fonológicos: los *segmentos* (los fonemas y los rasgos distintivos) y los *suprasegmentos* (el acento, la entonación y los tonos).

Los primeros se agrupan en unidades mayores que, consecuentemente, pueden ser descompuestas, desmontadas o segmentadas en sus elementos constituyentes. Una palabra puede ser segmentada en fonemas; un fonema, en rasgos distintivos.

Los segundos no se combinan para formar unidades mayores, sino que más bien se superponen a los primeros y generalmente afectan a unidades superiores al fonema. Por ejemplo, el acento en la palabra *amor* corresponde no solo a la /o/, sino a toda la sílaba -mor. De igual modo, la curva melódica de la oración interrogativa ¿*Llegó el avión*?, no se localiza en un punto dado de la misma, sino que la cubre totalmente.

Desde el punto de vista físico, los suprasegmentos son hechos fónicos necesariamente presentes en todo enunciado hablado. De esta forma, en una oración como *Iré al río* no aparecen los rasgos de nasalidad y labialidad, por ejemplo. Sin embargo, es imposible pronunciar esa oración sin una determinada entonación, o sin acento en determinadas sílabas.

4.3 El fonema

Una palabra como *beso* está constituida por una serie de unidades fónicas que permiten dividirla así: b-e-s-o. Estos pequeños elementos lingüísticos con los que se forman las palabras se llaman fonemas. En sí mismos no tienen significado, pero son capaces de diferenciar el significado de las palabras que forman.

Por sustitución se puede comprobar que:

b permite distinguir *beso* de *peso*
e permite distinguir *beso* de *vaso*
s permite distinguir *beso* de *bello*
o permite distinguir *beso* de *besa*

Otra forma de verificar el valor distintivo de los fonemas es por eliminación:

b distingue *beso* de *eso*
s distingue *beso* de *veo*
o distingue *beso* de *ves*

De acuerdo con las diferentes concepciones lingüísticas han sido formuladas varias definiciones del fonema.

Algunos lingüistas insisten en que es imposible pronunciar dos veces exactamente el mismo sonido: no existen dos sonidos acústicamente idénticos. Sin embargo, al realizar un fonema determinado en diferentes momentos y contextos, el hablante cree pronunciar, y el oyente tiene la impresión de oír, el mismo sonido.

Estos hechos hacen pensar que los hablantes de una lengua poseen una imagen o una representación mental del sonido. El fonema queda definido así como un sonido intencional, imaginado, como la intención del hablante, o la impresión del oyente, o ambas a la vez. En otras palabras, el fonema es el equivalente síquico del sonido lingüístico.

Para otros el fonema es ante todo un concepto funcional que no puede ser definido satisfactoriamente ni por su naturaleza sicológica ni tampoco por su relación con las variantes fonéticas, sino única y exclusivamente por su función en la lengua.

Una oposición fonológica es toda relación entre dos unidades fónicas que, en una lengua dada, puede diferenciar los significados, como e/i (*peso-piso*), l/r (*pelo-pero*). El fonema, según esta concepción, es cada una de estas unidades capaces de distinguir una palabra de otra.

4.4 Rasgos distintivos

Así como las palabras están compuestas de fonemas, estos están constituidos por un conjunto de caracteres fonéticos. Por ejemplo, el primer fonema de la palabra *besa* es bilabial, obstruyente, sonoro.

Si en la producción de ese fonema se varía el factor de la vibración de las cuerdas vocales, el conjunto bilabial, obstruyente y sonoro /b/, se convierte en bilabial, obstruyente y sordo /p/, resultando de este cambio una palabra con significación totalmente diferente: *pesa*. Si, en cambio, al pronunciar dicho segmento se deja el paso libre para que el aire salga por la nariz, el bilabial, obstruyente y sonoro /b/, se transforma en bilabial, nasal y sonoro /m/, obteniéndose así la palabra *mesa*.

Cada uno de esos caracteres fonéticos capaces de cambiar un fonema por otro y, en consecuencia, de crear transformaciones de sentido, recibe el nombre de *rasgo distintivo* o pertinente. El fonema distingue palabras y morfemas; el rasgo distintivo, a su vez, diferencia fonemas. Si *besa* se distingue de *pesa* porque donde la primera tiene /b/ la segunda tiene /p/, lo que distingue a /b/ de /p/ es el rasgo sonoro del primero, ausente en el segundo. Por eso, para muchos lingüistas la unidad básica de la fonología no es el fonema, sino el rasgo pertinente.

La idea de que los fonemas son las mínimas unidades lingüísticas debe entenderse en el sentido de que no pueden dividirse en unidades distintivas sucesivas. Los rasgos que componen un fonema aparecen simultáneamente formando haces o conjuntos, nunca en forma sucesiva. En tanto los fonemas de una palabra forman una secuencia (en la palabra *libro* primero aparece /l/, luego /i/, etc.) los rasgos distintivos de un fonema son forzosamente simultáneos. Al pronunciar /b/, por ejemplo, es imposible producir, en forma de secuencia, primero el rasgo bilabial, luego el rasgo oclusivo, después la sonoridad. Tiene sentido, así, transcribir los fonemas en forma horizontal: /késo/, y enunciar los rasgos de un fonema, verticalmente:

$$\begin{bmatrix} \text{bilabial} \\ \text{sonoro} \\ \text{oral} \end{bmatrix}$$

4.5 Fonema y alófono

Los fonemas se distinguen de los sonidos concretos del habla. El fonema es un conjunto de rasgos distintivos. Sin embargo, los sonidos concretos que realizan al fonema, además de esas propiedades distintivas, contienen otras que no poseen valor diferencial. Por ejemplo, en español, los rasgos distintivos del fonema /b/ son:

bilabial (que lo distingue de /d/ y /g/)
oral (que lo distingue de /m/)
sonoro (que lo distingue de /p/)

Ahora bien, cuando le precede una pausa o una consonante nasal, /b/ se realiza como oclusivo [b] (por ejemplo, en [um béso] *un beso*); pero en las demás posiciones se pronuncia como fricativo [β] (por ejemplo, en [elβéso] *el beso*). Esta diferencia no es distintiva, no cambia el sentido de la palabra *beso*. Si se pasa la b de *un beso* a *el beso* y viceversa, los enunciados significan lo mismo. Lo único que se notará posiblemente será énfasis o quizá una pronunciación afectada, poco usual.

Así que, mientras el fonema /b/ se define solo por sus rasgos distintivos, el sonido [b] presenta los rasgos bilabial, oral, sonoro, oclusivo y otros, como son una intensidad y una duración determinadas. Por eso, un mismo fonema puede ser realizado por diversos sonidos con tal que estos contengan los rasgos distintivos del fonema considerado. Las realizaciones o manifestaciones de un fonema se llaman *alófonos* o variantes fonéticas de dicho fonema.

Debe advertirse que un rasgo como *oclusivo*, que en /b/ no es distintivo, puede serlo en otros casos, como para el fonema /k/. Si en este se cambia *oclusivo* por *fricativo*, se obtiene un fonema distinto: /x/.

De acuerdo con muchos lingüistas podría decirse, en síntesis, que el fonema es una unidad abstracta, un sonido subyacente, y el alófono es una realidad concreta, el sonido material que manifiesta al fonema en el habla.

El conjunto de todas las realizaciones o alófonos de un fonema constituyen su *campo de dispersión*, y los límites articulatorios y acústicos dentro de los cuales se realizan esos alófonos se llaman *márgenes de seguridad*, que impiden que la realización de un fonema coincida y se confunda con la de otro.

4.6 Contexto y distribución de los segmentos fónicos

El contexto inmediato de una unidad fonética se define como el conjunto de las unidades de la misma naturaleza que la preceden y la siguen de manera inmediata y que, con su presencia, condicionan la forma o la función de dicha unidad. Así, para la /d/ en la palabra *padre* el contexto es el conjunto de la vocal /a/ precedente y la consonante /r/ siguiente, que condicionan su realización fricativa e interdental. En otras palabras, el contexto es la *posición* o *ubicación* donde se encuentra una unidad lingüística.

Por su parte, la distribución de una unidad es el *conjunto de todos los contextos* en los que puede aparecer. Para el fonema /č/, por ejemplo, el conjunto de los contextos que definen su distribución es el siguiente:

1. inicio de palabra ante cualquier vocal.
   Ejemplos: *chaqueta, chiste, chusma.*
2. interior de palabra
   2.a entre vocales. Ejemplos: *coche, dicha.*
   2.b precedido de /n/, /l/, /r/, /s/ y seguido de vocal.
   Ejemplos: *ponche, colchón, marcha.*

4.7 Distribución complementaria

La distribución complementaria es la relación existente entre dos o más unidades fonéticas que no tienen ningún contexto común; ninguna de ellas aparece nunca exactamente en la misma posición que la otra. Ese es el caso, por ejemplo, de los alófonos del fonema /g/:

el oclusivo [g], que aparece cuando /g/ está precedido de pausa o de consonante nasal. Ejemplos: *gato, mango.*

el fricativo [γ], que aparece en el resto de las posiciones.
Ejemplos: *mago, amargo.*

Dos alófonos que están en distribución complementaria se llaman variantes combinatorias del fonema que realizan. Su aparición está determinada por el contexto fónico, de tal suerte que conociendo el contexto, se puede predecir el alófono correspondiente.

Otro ejemplo es el de los alófonos de /n/. Basta conocer las características del fonema siguiente para saber qué alófono de /n/ será pronunciado:

[n] (alveolar) si se encuentra delante de vocal o de consonante alveolar.
[m] (bilabial) si se encuentra delante de consonante bilabial.
[ɱ] (labiodental) si se encuentra delante de consonante labiodental.
[n̟] (interdental) si se encuentra delante de consonante interdental.
[n̪] (dental) si se encuentra delante de consonante dental.
[ɲ] (palatalizada) si se encuentra delante de consonante palatal.
[ŋ] (velar) si se encuentra delante de consonante velar.

4.8 Distribución equivalente

Existe distribución equivalente entre dos o más unidades cuando aparecen en la misma clase de contextos. Por ejemplo, los fonemas /e/ y /o/ pueden encontrarse ambos:
a. al principio de palabra. Ejemplos: *ella, olla.*
b. en interior de palabra delante y/o detrás de consonante, y delante o detrás de vocal. Ejemplos: *beca, boca, menta, monta.*
c. al final de palabra. Ejemplos: *este, esto.*

La distribución equivalente puede ser *total*, como la que se da entre /e/ y /o/, o *parcial*, como la que existe entre /k/ y /r/.
La parcial puede manifestarse a través de una relación de *intersección*, cuando los dos sonidos presentan contextos comunes y contextos en los que aparece uno y no el otro, y viceversa.
Un ejemplo de este tipo es el de /k/ y /r/:
a. *contextos comunes*: entre vocales y al final de sílaba interna de palabra. Ejemplos: *peca, pera; pacto, parto.*
b. *contextos no comunes*:
    ▸donde aparece /k/ y no /r/: al principio de palabra y al inicio de sílaba delante de consonante líquida. Ejemplos: *casa, tecla.*
    ▸donde aparece /r/ y no /k/: al final de palabra y al inicio de sílaba como segundo elemento de grupo con oclusiva o /f/. Ejemplos: *mujer, sobre.* (La /k/ aparece al final, pero solo en contados casos de palabras extranjeras.)
Otra posibilidad como se manifiesta la distribución equivalente parcial es mediante una relación de *inclusión*. Sucede cuando un sonido, como la consonante /s/, aparece en todos los contextos en que aparece otro, como la /č/, y también en lugares donde el segundo no puede estar. La /s/ puede encontrarse, igual que la /č/, al inicio de palabra y de sílaba. Ejemplos: *sillón, chillón; mesa, mecha.* Pero además puede estar en contextos donde

la /č/ no puede aparecer, como en posición final de sílaba y de palabra. Ejemplos: *pasta, dos.*

4.9 Distribución (variación) libre

Dos o más unidades fonéticamente distintas están en distribución o en variación libre cuando aparecen en el mismo contexto sin alterar el significado de las palabras. Por ejemplo, la jota de la palabra *caja* puede ser pronunciada como velar fricativa [x], o como una simple aspiración faríngea [h] y esto no afecta el sentido de la palabra. Lo mismo sucede con el fonema /s/ en amplias zonas hispánicas, donde puede ser realizado como [s]: [eskwéla] o como [h]: [ehkwéla]. Otro ejemplo son las diferentes formas de pronunciación de la /ʃ/ (sonora o ensordecida, más o menos tensa) que se encuentran en el español de zonas como la rioplatense. Igualmente, los fonemas /r/ y /ṝ/ se oponen distintivamente cuando aparecen entre vocales (*coro-corro*), pero al final de sílaba puede aparecer uno u otro y el sentido de la palabra no cambia. Así, la palabra *dolor* puede ser pronunciada indistintamente [dolór] o [dolóṝ].

Como se puede observar, las variantes libres no son previsibles a partir del contexto, lo que las diferencia de las variantes combinatorias, que están en distribución complementaria.

El concepto de variación libre ha sido criticado por los sociolingüistas modernos al considerar que la aparición de una u otra de estas variantes no es realmente *libre*, sino que está a menudo condicionada por factores de índole social, como son el nivel sociocultural del hablante, la situación en que se produce la comunicación, las características del interlocutor. Así, en muchas regiones, la /s/ final de sílaba puede manifestarse como [s], [eskwéla], si se habla, por ejemplo, en una reunión de intelectuales sobre un tema científico; pero probablemente como [h], y aun como cero fonético [ɸ], [ehkwéla] o [ekwéla], si el hablante es de clase baja o media baja y se encuentra en una reunión familiar conversando animadamente.

La distribución equivalente y la variación libre son fenómenos afines: ambos implican que las unidades involucradas aparezcan en un mismo contexto. Pero existe una diferencia crucial: las variantes libres son equivalentes funcionalmente, lo que significa que no sirven para distinguir el sentido de las palabras. En cambio, la distribución equivalente solo requiere la aparición en contextos comunes, por lo que puede producirse entre unidades fonológicamente opuestas, como es el caso ya citado de /e/ y /o/ (*beca, boca*) o de /k/ y /r/, (*peca, pera*).

4.10 Conmutación

El procedimiento normalmente utilizado para la identificación de los fonemas de una lengua se llama prueba de la *conmutación*. Consiste en comparar parejas de palabras que comparten todos sus sonidos menos uno, en el mismo orden; por ejemplo: *casa-cara, hombre-hambre*. Si a esa diferencia fonética entre los términos comparados corresponde una diferencia de significado, queda demostrado que los segmentos no comunes a ambas palabras son fonemas. Tales parejas de palabras se conocen con el nombre de *pares mínimos*.

Dos fonemas son conmutables cuando constituyen el objeto de esta operación y la relación existente entre ellos se denomina *oposición fonológica*.

Para que la prueba de la conmutación opere es necesario que los elementos examinados tengan, por lo menos, una distribución equivalente parcial, ya que se trata de sustituir uno por otro en un mismo contexto. Como es lógico, dos unidades que están en distribución complementaria imposibilitan la aplicación del procedimiento y, en consecuencia, no pueden establecer una relación de oposición fonológica.

Por tanto, existe oposición entre los fonemas /s/ y /r/ (conmutables en *casa* y *cara*), /o/ y /a/ (conmutables en *hombre* y *hambre*). Sin embargo, la consonante /s/ no forma una oposición con la vocal /o/, porque ambos no son conmutables en ningún contexto. Se encuentran en distribución complementaria: /o/ es siempre núcleo de sílaba, /s/ nunca lo es.

4.11 Neutralización

Existen posiciones en las que determinadas oposiciones fonológicas pierden su función diferenciadora. Se trata del fenómeno denominado *neutralización*, que puede definirse como la suspensión o la pérdida de la función distintiva de una oposición de fonemas realizada en otros contextos fónicos. Por ejemplo, los tres fonemas nasales del español /m, n, ɲ/ se oponen en posición inicial de sílaba (*mata-nata-ñata; cama-cana-caña*). Pero en posición final de sílaba esa oposición queda neutralizada, anulada. De esta forma, la consonante nasal de la palabra *un*, por ejemplo, puede ser realizada como **m**, en *un peso*; como **n**, en *un amigo*; muy parecida a una ñ, en *un chico*; y a pesar de ello, la palabra *un* conserva el mismo significado.

Cuando dos o más fonemas se neutralizan, la función distintiva de la oposición que establecen queda adscrita al conjunto de rasgos distintivos comunes a esos fonemas (en el caso mencionado, el rasgo nasal). Ese conjunto de rasgos distintivos comunes funciona como un fonema sintético, válido por la pareja o el trío de fonemas neutralizados. Muchos lingüistas llaman *archifonema* a esa unidad, que en la transcripción fonológica se representa con un símbolo mayúsculo. Según esto, /N/ es el archifonema resultante de la neutralización de las nasales: *un amigo* /uN amígo/, *un peso* /uN péso/, *un gato* /uN gáto/.

Otro ejemplo siempre citado en español es el de las vibrantes. Los fonemas /r/ y /r̄/ se oponen en posición intervocálica: /káro/-/kār̄o/. Sin embargo, en el resto de las posiciones sufren neutralización, dando lugar al archifonema vibrante /R/. La palabra /muéRte/ puede pronunciarse [mwérte] o [mwér̄te], y su significado no varía.

4.12   Reglas de combinación de los fonemas

Los fonemas de una lengua no aparecen indiscriminadamente en cualquier posición. Existen reglas, conocidas y aplicadas intuitivamente por los hablantes, que limitan las posibilidades de combinar un fonema con otros que le sigan y/o le precedan. El fonema español /n/, por ejemplo, al principio de palabra no puede ir seguido por consonante, y al final de palabra va inmediatamente precedido por vocal. El español no admite, por tanto, formas como *nlato o *parosn. Son igualmente violadoras de las reglas fonológicas del español, combinaciones como *sparte, *codla, *achmib.

Las vocales españolas aparecen en cualquier lugar de la palabra (*ala, eco, idea, ojo, uva, palabra, fonema, distintivo, distribución, café, alhelí, bambú*). Debe recordarse, sin embargo, que las vocales altas o cerradas i, u, son muy poco frecuentes al final de la palabra, como resultado de la evolución del latín al castellano que, como regla general, convirtió las altas /i, u/ finales de palabra en medias /e, o/, respectivamente.

La aparición de las consonantes está mucho más condicionada por el contexto. A continuación se presenta un resumen de su distribución:

1. Al principio de palabra pueden aparecer todas las consonantes, menos /r/. En esta posición, además, se admiten grupos de dos consonantes si la primera es oclusiva o la /f/, y la segunda es una de las líquidas /l/ o /r/: /pr/, /br/, /fr/, /tr/, /dr/, /kr/, /gr/; /pl/, /bl/, /fl/, /kl/, /gl/.

2. En interior de palabra, todas las consonantes aparecen al principio de

sílaba. Son también posibles en este contexto los mismos grupos consonánticos que aparecen al principio de palabra. Al final de sílaba interna de palabra no aparecen las palatales /ɲ, ĵ, č, λ/ ni la /x/. La /f/ es muy rara. El interior de palabra es el único contexto en que pueden aparecer grupos de más de dos consonantes, en cuyo caso los fonemas se distribuyen en dos sílabas. La combinación máxima es de cuatro consonantes (*instruido*), de las cuales las dos primeras forman sílaba con la vocal anterior, y las dos últimas, con la vocal siguiente. Cuando aparecen dos al final de sílaba, la segunda debe ser /s/ (*instituto, perspicaz, extraño; istmo* es la excepción).

3. Al final de palabra solo aparecen /r/, /l/, /n/, /s/, /θ/, /d/. El fonema /x/ ocurre raramente (*reloj, boj*) y desaparece en la pronunciación ordinaria. Igualmente sucede con /k/, que se encuentra en algunas palabras extranjeras (*coñac, frac*). Por otra parte, en esta posición final de palabra el español no admite las combinaciones de dos o más consonantes, salvo en algunos casos como *tórax* y *bíceps*.

4.13   Palabras reales, potenciales e imposibles

A pesar de las restricciones señaladas, las combinaciones fonemáticas posibles en español son prácticamente infinitas. No obstante, la lengua solo utiliza y aprovecha en la formación de sus palabras, una minoría de esas combinaciones posibles.

Así como es regular y admisible la secuencia de fonemas d-i-n-e-r-o, también lo son las combinaciones f-i-n-e-r-o, d-a-n-i-r-o, o los mismos fonemas de *dinero* en otro orden: n-i-r-e-d-o, d-e-r-i-n-o. Una rápida ojeada al diccionario permite comprobar, sin embargo, que *dinero* es una palabra del español, pero las demás no. Resulta fácil concluir que el número de palabras realmente existentes es muy inferior al de palabras posibles en una lengua determinada.

En otro lugar hay que colocar las combinaciones como *tsalm, *boñlef, que la lengua excluye o prohíbe en virtud de alguna de las restricciones mencionadas anteriormente.

En conclusión, las diferentes combinaciones de fonemas producen tres grandes grupos de unidades: 1. palabras *reales* en la lengua, como *dinero* y *salud*; 2. palabras *potenciales*, que no existen pero que podrían existir porque están formadas según las reglas de combinación, como *niredo* y *arsipa*; 3. palabras *imposibles*, irregulares o aberrantes, que violan las reglas de combinación establecidas, como *nlato, boñlef, tsalm*.

4.14   Orden fijo de los fonemas y economía

El funcionamiento de los sistemas lingüísticos se fundamenta en un principio altamente económico: hacer uso infinito de medios finitos. En español, una veintena de fonemas y algunas reglas de combinación permiten construir todas las palabras y, en consecuencia, todas las oraciones y los textos que han emitido y los que sean capaces de emitir en el futuro todos los hablantes.

En efecto, en todas las lenguas el número de fonemas es incomparablemente menor que el número de palabras, de modo que una palabra presenta siempre una determinada combinación de fonemas que existen también en otras palabras. Piénsese en los fonemas /a/, /o/, /r/, /m/, /s/, /k/. Sin agotar las múltiples combinaciones posibles de esos seis fonemas, se puede formar con ellos un número elevado de palabras españolas: *casa, caso, oro, oso, cosa, saco, asco, mamá, caro, cara, coro, coma, cama, masa, mosca, arma, amor, amar, casar, sacar, aroma, maroma, cáscara, máscara,* etc., etc.

Esta gran economía depende fundamentalmente de la posición fija que ocupan los fonemas dentro de la palabra, a diferencia de la libertad relativa con que se ordenan las palabras en la oración. En el nivel sintáctico, el ordenamiento de las palabras no es tan riguroso y a menudo carece de relevancia lingüística. Frecuentemente las palabras de una oración pueden colocarse en diferente orden sin que se altere su sentido básico:

Esta noche iremos al cine.
Iremos al cine esta noche.
Al cine iremos esta noche.
Iremos esta noche al cine.
Esta noche al cine iremos.

Ahora bien, si el orden de aparición de los fonemas /a, p, s, o/ fuera indiferente, solo podrían formar una palabra que se pronunciaría indistintamente [áspo], [páso], [sópa], etc. Sin embargo, el hecho de que su posición sea pertinente les permite formar cuatro palabras distintas: *paso, posa, sopa, sapo.*

Podría decirse que en el nivel fonológico las unidades están sometidas a una especie de dictadura impuesta por el sistema lingüístico. Pero se trata de una esclavitud o de una rigidez beneficiosa, rentable, funcional.

EJERCICIOS DEL CAPÍTULO IV

I. En cada caso, seleccione la mejor respuesta:

1.1 Muchos consideran el fonema como una unidad funcional basándose
    en el hecho de que:
    a. puede manifestarse tanto acústica como gráficamente
    b. es un conjunto de alófonos emparentados fonéticamente
    c. es un elemento capaz de diferenciar una palabra de otra
    d. (b) y (c)

1.2 La unidad mínima, no segmentable, del análisis fonológico es el:
    a. fonema
    b. rasgo distintivo
    c. alófono
    d. ninguna de las anteriores

1.3 Un mismo fonema solo puede aparecer dentro de una palabra:
    a. tres veces, como máximo
    b. tantas veces cuantas sílabas contiene la palabra
    c. una vez
    d. ninguna de las anteriores

1.4 Cuando se pronuncia un fonema, el sonido emitido contiene:
    a. los rasgos distintivos del fonema realizado combinados con otros
        rasgos no pertinentes
    b. solamente los rasgos distintivos del fonema pronunciado porque,
        de lo contrario, podría confundirse con otro fonema
    c. todos los rasgos acústicos del segmento, excepto las propiedades
        supraglóticas y laríngeas
    d. ninguna de las anteriores

1.5 La secuencia de fonemas *btalpro* no puede ser una palabra española
    porque:
    a. la combinación *bt* no puede comenzar una palabra
    b. la combinación *lpr* no está permitida dentro de la palabra
    c. esa forma contiene más consonantes que vocales
    d. no puede haber en la misma sílaba tres consonantes seguidas

1.6 Un contexto donde aparecen todas las consonantes españolas es:
   a.   al principio de la palabra
   b.   al final de la sílaba
   c.   entre dos vocales
   d.   entre vocal y consonante

1.7 Los *alófonos* se podrían definir como la:
   a.   representación mental de los sonidos lingüísticos
   b.   manifestación concreta de los fonemas en el habla
   c.   representación gráfica de los sonidos lingüísticos
   d.   manifestación colectiva de los sonidos

1.8 La *neutralización* es un fenómeno fonológico que consiste en la:
   a.   pérdida del valor diferenciador de una oposición fonológica que funciona en otras posiciones
   b.   eliminación de los rasgos distintivos de un fonema que se añaden a los del fonema siguiente
   c.   combinación irregular de los fonemas en la cadena sintáctica como consecuencia de la unión de unas palabras con otras
   d.   posibilidad de pronunciar los fonemas situados al final de la palabra de cualquier manera

1.9 La *distribución equivalente* guarda relación con la *variación libre*, pero se diferencian porque:
   a.   las variantes libres no son previsibles según el contexto y las de distribución equivalente sí
   b.   las variantes libres no se oponen y la distribución equivalente se puede dar entre fonemas diferentes
   c.   la distribución equivalente es parcial, mientras que la variación libre es siempre total
   d.   una tiene que ver con las vocales y la otra con las consonantes

1.10 Según la estructura fonológica del español, las formas *ponlsa* y *esdpa* son:
   a.   ambas posibles
   b.   potencial la primera e imposible la segunda
   c.   reales las dos
   d.   ambas imposibles

II. Indique el segmento que se obtiene al cambiar un rasgo por otro. Vea el ejemplo.

Ejemplo: *segmento   rasgo sustituido   rasgo nuevo segmento nuevo*
[d]   [sonoro]   [sordo]   [t]
([t] contiene los mismos rasgos que [d], salvo que es sordo)

segmento	rasgo sustituido	rasgo nuevo	segmento nuevo
[s]	[alveolar]	[labiodental]	[ ]
[m]	[bilabial]	[palatal]	[ ]
[g]	[velar]	[bilabial]	[ ]
[o]	[medio]	[alto]	[ ]
[k]	[sordo]	[sonoro]	[ ]
[p]	[bilabial]	[velar]	[ ]
[l]	[lateral]	[vibrante sim.]	[ ]
[b]	[oral]	[nasal]	[ ]
[e]	[anterior]	[posterior]	[ ]
[f]	[labiodental]	[interdental]	[ ]

III. Añada el fonema que falta para completar un conjunto homogéneo.

3.1.   /m n/:

3.2.   /b d/:

3.3.   /p m/:

3.4.   /i a/:

3.5.   /e o u/:

IV. Junto a cada palabra escriba otra de tal manera que entre las dos formen un par mínimo:

4.A.   Opuesto por la consonante inicial:

4.A.1. paleta: 4.A.5. feria:

4.A.2. modo: 4.A.6. lata:

4.A.3. guerra: 4.A.7. nueve:

4.A.4. sano: 4.A.8. chico:

4.B.   Opuesto por la primera vocal:

4.B.1. mucho:

4.B.2. piña:

4.B.3. corta:

4.B.4. mesa:

4.B.5. risa:

V. Enumere todos los contextos en los que pueden aparecer los fonemas españoles /f/ y /s/ con el fin de establecer el tipo de distribución que se da entre los dos (complementaria, equivalente total, equivalente parcial, libre). Para cada contexto dé una palabra como ejemplo.

_____

_____

_____

_____

_____

_____

VI. La lista siguiente está formada por "palabras" inexistentes. Diga cuáles son potenciales y cuáles, imposibles en español. Explique por qué.

6.1. /morspán/:

6.2. /flárde/:

6.3. /sektóča/:

6.4. /pikténia/:

6.5. /menlgáso/:

6.6. /onsflínga/:

6.7. /arkenrdó/:

6.8. /démorips/:

VII.   ¿Cuál sería la consecuencia de que cada fonema estuviera en distribución complementaria con los demás?

_____

_____

VIII.   ¿Qué relación existe entre la variación libre y la neutralización?

_____

_____

IX. Lea en voz alta y transcriba fonéticamente estos versos:

Este mundo es el camino
para el otro que es morada
sin pesar,
mas cumple tener buen tino
para andar esta jornada
sin errar.
Partimos cuando nacemos,
andamos mientras vivimos
y llegamos
al tiempo que fenecemos,
así que cuando morimos
descansamos.
(Jorge Manrique)

X. CRUCIGRAMA 4

HORIZONTALES:
1. Relación que se da entre dos fonemas conmutables en algún contexto.
5. Variación que se da entre unidades intercambiables sin que cambie el sentido.
7. Unidad fonológica compuesta por un conjunto de rasgos distintivos.
9. Única posición de la sílaba en la que pueden aparecer todas las consonantes.
13. Cada uno de los caracteres fonéticos que componen un fonema o sonido.
14. Posición de la palabra donde no pueden aparecer las consonantes palatales.
15. Orden en que aparecen los fonemas dentro de la palabra.
16. Vecindario fonético o posición en la que se encuentra colocado un sonido.
17. Confusión de fonemas, pérdida de la capacidad diferenciadora de dos fonemas.

VERTICALES:
2. Palabra no existente pero que presenta una combinación permitida de fonemas.
3. Manifestación concreta de un fonema en el habla.
4. Unidad fonológica que se agrupa en unidades mayores analizables.
6. Palabra que existe en la lengua.
8. La suma de los contextos en los que puede aparecer un sonido.
10. Unidad fonológica que representa una pareja de fonemas neutralizados.
11. Mecanismo consistente en comparar palabras que se diferencian por un sonido.
12. Función mediante la cual los fonemas diferencian una palabra de otra.

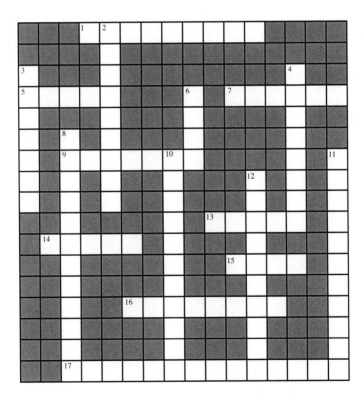

XI. Lea en voz alta los siguientes textos:

11.A
Caminante, son tus huellas
el camino, y nada más;
caminante, no hay camino,
se hace camino al andar.
Al andar se hace camino,
y al volver la vista atrás
se ve la senda que nunca
se ha de volver a pisar.
Caminante, no hay camino,
sino estelas en la mar.
    (Antonio Machado)

11.B
Cuando el funcionario de inmigración abrió mi pasaporte, tuve el presagio nítido de que si levantaba la vista para mirarme a los ojos iba a darse cuenta de la suplantación. Había tres mostradores, todos atendidos por hombres sin uniforme, y yo me había decidido por el más joven, que me pareció el más rápido. Elena se metió en una cola distinta, como si no nos conociéramos, porque si uno de los dos tenía problemas, el otro saldría del aeropuerto para dar la voz de alarma. No fue necesario, pues era evidente que los funcionarios de inmigración tenían tanta prisa como los pasajeros para que no los sorprendiera el toque de queda, y apenas si miraban los documentos. El que me atendía a mí no se detuvo siquiera a examinar las visas, pues sabía que sus vecinos uruguayos no las necesitaban. Puso el sello de entrada en la primera hoja limpia que encontró, y en el momento de devolverme el pasaporte me miró fijo a los ojos con una atención que me heló las entrañas.

(Fragmento de *La aventura de Miguel Littín clandestino en Chile*,
de Gabriel García Márquez)

Capítulo V

TRANSCRIPCIÓN FONÉTICA Y FONOLÓGICA

5.1 Representaciones gráficas

Desde el punto de vista fonético, la expresión de que *las palabras se las lleva el viento* es literalmente cierta. Al estar formadas de sonidos, las palabras se desvanecen al momento de ser pronunciadas, porque la onda sonora se diluye en la atmósfera. Constituye una realidad que se esfuma en el ambiente, vuela, desaparece y deja de existir a los pocos instantes de haber sido producida. Por eso es lógico que desde muy antiguo el hombre haya buscado formas de representación gráfica con el fin de fijar o de darles permanencia a las palabras.

Existen dos sistemas fundamentales de escritura. Uno es *ideográfico*. En él se representa la idea por medio de un signo único, una imagen o un dibujo llamado *ideograma*, que es ajeno a los sonidos que componen la palabra y puede simbolizar una o más palabras. El otro es la *escritura fonética*, que busca representar uno a uno los segmentos fónicos que forman las palabras. Cuando con este sistema se intenta reproducir las sílabas, la escritura se llama *silábica*; si se representan los fonemas, se llama *alfabética*. En este caso, se utiliza un conjunto de símbolos gráficos llamado *alfabeto*, porque sus primeras dos letras en griego son α (alfa) y β (beta).

Dos de los alfabetos más conocidos son el *griego*, que utiliza signos como α (alfa -a-), β (beta -b-), γ (gamma -g-), δ (delta -d-), η (eta -e-), λ (lambda -l-), π (pi -p-), σ (sigma -s-), ω (omega -o-); y el *latino*, tomado como base por la mayoría de las lenguas europeas, como el francés, el italiano, el inglés, el alemán. En español, el alfabeto (abecedario) ortográfico quedó fijado en 1803 con estas 29 letras: a, b, c, ch, d, e, f, g, h, i, j, k, l, ll, m, n, ñ, o, p, q, r, s, t, u, v, w, x, y, z.

5.2 Alfabeto fonético

El alfabeto fonético es un conjunto de símbolos convencionales cuya finalidad consiste en representar lo más exactamente posible, por medio de la escritura, los sonidos del lenguaje. A tal efecto, contrariamente a lo que sucede con el alfabeto ortográfico, en el alfabeto fonético cada signo debe representar siempre el mismo sonido y a cada sonido se le asigna siempre el mismo signo. La representación gráfica de los sonidos lingüísticos efectuada por medio de este alfabeto se llama *transcripción*.

5.3 Transcripción fonética y transcripción fonológica

Los sonidos no son articulados de la misma manera por todas las personas. Por ejemplo, la *r* pronunciada por una mujer no es idéntica a la que pronuncia un hombre. Existen también diferencias fonéticas entre los hablantes de una región y los de otra. Es más, un mismo individuo no pronuncia dos veces seguidas un segmento exactamente de la misma forma.

Por otra parte, el contexto fonético puede hacer variar la realización de un sonido. Así, la *d* de la palabra *andar* se articula uniendo fuertemente el ápice de la lengua a la cara interior de los dientes incisivos superiores. En cambio, en la palabra *nadar* la *d* se realiza introduciendo ligeramente el ápice lingual entre los incisivos superiores e inferiores. A pesar de esas diferencias, ambas *d* son percibidas por un oyente normal de la misma forma, y el hablante cree pronunciar el mismo sonido en ambos casos.

¿A qué obedece este fenómeno? ¿Por qué los hablantes identifican la *r* de una mujer con la de un hombre y la *d* de *andar* con la de *nadar*? Se trata simplemente de que esos sonidos, diferentes fonéticamente, son idénticos fonológicamente, es decir, coinciden desde el punto de vista de su función en la lengua española. Basta que *r*, por ejemplo, sea diferente de *l*, para no confundir *pero* con *pelo*; de *rr*, para no confundir *pero* con *perro*; de *s*, para no confundir *pero* con *peso*; y así sucesivamente. En español lo importante es la unidad modelo *r*, *d*, *s*, etc., sin que tengan interés, para los fines de la comunicación, las diferencias individuales o contextuales. Esos sonidos tipo, que tienen un valor diferenciador de significados, se llaman *fonemas*. Por su parte, las realizaciones concretas de que son objeto los fonemas reciben el nombre de *alófonos*. A cada fonema corresponden normalmente diferentes manifestaciones o alófonos.

La transcripción fonológica reproduce gráficamente los fonemas de una lengua, ignorando la diversidad de sonidos con que se manifiestan esos sonidos en el habla. La transcripción fonética es la reproducción gráfica de los alófonos, es decir, de las diferentes realizaciones de los fonemas en el habla. Este tipo de representación, sin embargo, no expresa toda la riqueza de matices acústicos y articulatorios que ofrece el habla real. En teoría, las realizaciones individuales de un fonema son infinitas. Para captar fielmente esa realidad sería preciso, por tanto, que el alfabeto dispusiera de un número infinito de símbolos.

Por razones prácticas, en la transcripción fonética solo se reproducen fundamentalmente aquellas diferencias de realización de los fonemas que son predecibles o explicables a partir del contexto fonético.

Convencionalmente, la transcripción fonética se coloca entre corchetes [ ] y la fonológica, entre barras oblicuas / /. A manera de muestra, obsérvense ambas transcripciones del enunciado "los siete enanitos":

fonética: [losjétenãnítos]   *fonológica*: /los siete enanitos/

Conviene precisar, además, que en la enumeración de los alófonos y de sus respectivos contextos, se toma como base la pronunciación culta en estilo formal de un hablante que, en cierto sentido, podría considerarse ideal. Por este motivo, de las consonantes oclusivas /p, t, k/, por ejemplo, solo se presentan los alófonos [p, t, k]. Sin embargo, cuando esas consonantes se encuentran al final de sílaba, en estilos informales se pronuncian a menudo como sonoras [b, d, g], e incluso se hacen fricativas [β, δ, γ]: *apto* [áβto], *ritmo* [r̄íδmo], *acto* [áγto].

La observación anterior es también aplicable a otros fonemas, como /r/, que al fin de la sílaba no solo puede convertirse en fricativo [ɹ], sino que en algunos lugares del mundo hispánico es pronunciado parecido a una [s], con un alófono llamado por eso *asibilado*, que muchos transcriben con el símbolo [ř]: [amóř]. Lo mismo sucede con el múltiple /r̄/, que en ciertas zonas se asibila y puede resultar en un sonido parecido a [ž].

De manera similar, del fonema /s/ solo se citan un alófono sonorizado [s̬] delante de consonante sonora y el alófono sordo normal [s] en el resto de las posiciones. Naturalmente, en la pronunciación ordinaria de un gran número de hablantes del español, habría que considerar también, entre otras, la realización aspirada [h], cuando dicen, por ejemplo, [ehkwéla], en lugar de [eskwéla] (*escuela*).

Dado el carácter introductorio de este libro, tampoco se ofrece un inventario exhaustivo de los alófonos vocálicos del español. Se han excluido, por ejemplo, las variantes abiertas [ɛ] de /e/, y [ɔ] de /o/, que pueden aparecer en contacto con /r̄/, en sílaba cerrada y en otros contextos.

Cuando en los cuadros se indica "en cualquier posición", o "en las demás posiciones", bajo la columna llamada *contexto*, solo se alude, lógicamente, a las posiciones de la palabra donde puede aparecer el fonema al que corresponde ese alófono. Si un contexto no forma parte de la distribución de un fonema, entonces la observación no se aplica.

Vocales

Fonema	Alófono	Contexto	Ejemplo
/a/	[ã]	entre dos nasales	[mãní]
	[a]	en las demás posiciones	[batáta]
/e/	[ẽ]	entre dos nasales	[eksámẽn]
	[e]	en las demás posiciones	[elexír]
/o/	[õ]	entre dos nasales	[mõnéða]
	[o]	en las demás posiciones	[olór]
/i/	[j]	margen inicial de diptongo	[djéṇte]
	[i̯]	margen final de diptongo	[bái̯le]
	[ĩ]	entre dos nasales	[kamĩnár]
	[i]	en las demás posiciones	[iṇtelixéṇte]
/u/	[w]	margen inicial de diptongo	[kwátro]
	[u̯]	margen final de diptongo	[káu̯sa]
	[ũ]	entre dos nasales	[mũɲéka]
	[u]	en las demás posiciones	[brúxula]

Vocales

alfabeto ortográfico:	alfabeto fonético:	descripción del sonido	ejemplo
a, ha	a	central, bajo, oral	[akaβár]
	ã	central, bajo, nasalizado	[mãnéra]
e, he	e	anterior, medio, oral	[kerér]
	ẽ	anterior, medio, nasalizado	[mẽnú]
o, ho	o	posterior, medio, oral	[kolór]
	õ	posterior, medio, nasalizado	[mõntáɲa]
i, hi, y	j	anterior, semiconsonante	[bjéṇto]
	i̯	anterior, semivocal	[pai̯sáxe]
	i	anterior, alto, oral	[líkiðo]
	ĩ	anterior, alto, nasalizado	[mĩnéro]
u, hu	w	posterior, semiconsonante	[kwáðro]
	u̯	posterior, semivocal	[au̯tór]
	u	posterior, alto, oral	[kurár]
	ũ	posterior, alto, nasalizado	[mũṇdjál]

Con relación a las consonantes, es preciso observar que algunos de los símbolos utilizados en este libro difieren de los del alfabeto fonético convencional. El caso más relevante es el relativo a las africadas palatales. El alfabeto fonético asigna los siguientes símbolos: [ʧ] para la sorda inicial de *chocolate*, por ejemplo, y [ʤ] para la sonora de *yo*. Como esos sonidos representan fonemas simples en español y no una combinación de dos fonemas, parece incoherente utilizar un signo doble, como sucede a veces en la ortografía ordinaria, que contiene incongruencias como la de los dígrafos "ch" y "qu". Aquí se ha preferido emplear los signos siguientes, mejor conocidos en la tradición lingüística hispánica: [č], para la africada sorda, y [J], para la sonora.

Por otra parte, en el caso de la /s/ sonorizada, se eligió el signo [s̬], en vez de [z]. El grado de sonoridad que adquiere la /s/ delante de una consonante sonora, como en [mís̬mo], no es comparable al de la [**z**] sonora de la palabra inglesa *zoo* o de la francesa *maison*. Resultaría exagerada y poco natural la pronunciación de *mismo* como [mízmo].

Consonantes obstruyentes

Fonema	Alófono	Contexto	Ejemplos
/p/	[p]	en cualquier posición	[pápa], [kámpo]
/t/	[t]	en cualquier posición	[tenér], [kárta]
/k/	[k]	en cualquier posición	[kása], [akél]
/b/	[b] [β]	después de pausa o de nasal en las demás posiciones	[**bála**], [**bómba**] [la βála], [lóβo]
/d/	[d] [δ]	después de pausa, *nasal* o *l* en las demás posiciones	[**dón̪de**], [fál̪**da**] [káδa], [perδón]
/g/	[g] [γ]	después de pausa o de nasal en las demás posiciones	[**gáto**], [táŋ**go**] [mi γáto], [áγo]
/č/	[č]	en cualquier posición	[číno], [máčo]
/f/	[f]	en cualquier posición	[fláko], [kafé]
/θ/	[θ]	en cualquier posición	[θapáto], [páθ]
/s/	[s̬] [s]	ante consonante sonora en las demás posiciones	[mís̬mo], [ís̬la] [sála], [ésto]
/ǰ/	[ɟ] [ǰ]	después de pausa, *nasal* o *l* en las demás posiciones	[ɟéso], [en̪ɟesár] [la ǰúka], [aǰér]
/x/	[x] ([h])	en cualquier posición (*en muchos países*)	[**xén̪te**], [**káxa**] [**hén̪te**], [**káha**]

Consonantes obstruyentes

alfabeto ortográfico	alfabeto fonético	descripción del sonido	ejemplos
p	p	bilabial, oclusivo, sordo	[pirópo]
t	t	dental, oclusivo, sordo	[táŋto]
c, qu, k	k	velar, oclusivo, sordo	[lóko], [késo]
b, v	b	bilabial, oclusivo, sonoro	[báŋko], [bíno]
	β	bilabial, fricativo, sonoro	[láβjo], [léβe]
d	d	dental, oclusivo, sonoro	[aŋdár]
	ð	interdental, fricativo, son.	[naðár]
g, gu	g	velar, oclusivo, sonoro	[gásto], [géɾa]
	γ	velar, fricativo, sonoro	[máγo], [áγila]
ch	č	palatal, africado, sordo	[mučáčo]
f	f	labiodental, fricativo, sor.	[famóso]
z, c	θ	interdental, fricativo, sor.	[θóna], [aθér]
s	s	alveolar, fricativo, sordo	[sálsa]
	ş	alveolar, fricativo, sonoro	[ɾ́áşγo]
y	ɟ	palatal, africado, sonoro	[ɟó]
	j	palatal, fricativo, sonoro	[májo]
g, j	x	velar, fricativo, sordo	[xésto], [xéfe]
	(h)	faríngeo, aspirado, sordo	[hésto], [héfe]

Consonantes no obstruyentes

Fonema	Alófono	Contexto	Ejemplos
/m/	[m]	en cualquier posición	[káma], [mésa]
/n/	[m]	delante de /p/ o de /b/	[um péso]
	[ɱ]	delante de /f/	[eɱférmo]
	[n̪]	delante de /θ/	[ón̪θe]
	[n̪]	delante de /t/ o de /d/	[án̪tes], [an̪dár]
	[ɲ]	delante de /č/ o de /ǰ/	[ánǰo]
	[ŋ]	delante de /k/, /g/ o /x/	[téŋgo], [áŋkla]
	[n]	en las demás posiciones	[náða], [pensár]
/ɲ/	[ɲ]	en cualquier posición	[ɲáme], [káɲa]
/l/	[l̪]	delante de /θ/	[kal̪θáðo]
	[l̪]	delante de /t/ o de /d/	[ál̪to], [fál̪da]
	[l]	en las demás posiciones	[láðo], [papél]
/λ/	[λ]	en cualquier posición	[λáβe], [káλe]
/r/	[r]	en cualquier posición	[péra], [komér]
	[ɹ]	*a menudo en estilo informal*	[koméɹ], [péɹa]
/r̄/	[r̄]	en cualquier posición	[r̄íko], [pér̄o]

Consonantes no obstruyentes

alfabeto ortográfico	alfabeto fonético	descripción del sonido	ejemplos
m	m	bilabial, nasal	[málo], [amár]
n	m	bilabial, nasal	[um béso]
	ɱ	labiodental, nasal	[iɱfjérno]
	n̪	interdental, nasal	[en̪θíma]
	ṇ	dental, nasal	[kaṇtár]
	n̠	palatalizado, nasal	[pín̠čo]
	ŋ	velar, nasal	[aŋgústja]
	n	alveolar, nasal	[nó], [kárne]
ñ	ɲ	palatal, nasal	[píɲa]
l	ḷ	interdental, lateral	[alθár]
	ḻ	dental, lateral	[faḻtár]
	l	alveolar, lateral	[láta], [míl]
ll	λ	palatal, lateral	[gaλína]
r	r	alveolar, vibrante simp.	[kára]
	ɹ	alveolar, fricativo, son.	[muxéɹ]
rr, r	r̄	alveolar, vibrante múlt.	[kor̄ér], [r̄ísa]

89

Según se puede apreciar, el símbolo utilizado para representar el fonema es igual al de uno de sus alófonos. A menudo se elige el símbolo correspondiente al alófono que aparece en mayor número de posiciones. Un ejemplo es el fonema /n/, cuyo símbolo corresponde al del alófono alveolar [n], que aparece seguido por cualquier vocal o delante de /s/, /l/ o /r̃/.

5.4 Transcripción fonológica y ortografía

No hay que confundir los símbolos del alfabeto fonético usados en la transcripción fonológica, con las letras o grafemas utilizados en la ortografía. Aunque en español a menudo ambos coinciden, en varios casos se manifiesta una discordancia notable.

A. Fonemas españoles siempre representados por una misma letra:

/p/: "p", /t/: "t", /d/: "d", /f/: "f", /č/: "ch";
/m/: "m", /ɲ/: "ñ", /l/: "l", /λ/: "ll", /r/: "r".

B. Dos fonemas distintos representados por una misma letra (*polífona*):

"c":	/k/: *casa, cuna*	"r":	/r/: *parar*
	/θ/ o /s/: *cine, cena*		/r̄/: *rico*
"g":	/g/: *gato, aguja*		
	/x/: *gemelo, página*		

C. Un mismo fonema representado por dos letras (*homófonas*) distintas:

/b/:	"b": *abeja*	/θ/:	"z": *zapato, zona*
	"v": *avena*		"c": *cine, cena*
/g/:	"gu": *guerra*	/n/:	"m": *campo*
	"g": *gusto, gris*		"n": *nada, antes*
/x/:	"g": *gente, gitano*	/r̄/:	"rr": *perro*
	"j": *jabón, julio*		"r": *rico, enredo*
/ǰ/:	"y": *yugo*		
	"ll": *lluvia* (en lugares donde hay yeísmo)		

90

D. Fonemas españoles representados por tres letras (*homófonas*):

/k/:   "c": *casa, cuna*
          "qu": *quince, queso*
          "k": *kilómetro, kantiano*

/s/:   "s": *silla*
          "c": *cine*   (en zonas de seseo)
          "z": *zapato* (en zonas de seseo)

E. Secuencia de dos fonemas representados por una sola letra:

/ks/:   "x": *examen*

F. Secuencias de dos letras que representan un solo fonema (*dígrafos*):

"rr": /r̄/; "ch": /č/; "ll": /λ/; "gu": /g/; "qu": /k/

G. Letra que no representa ningún fonema: "h": *hombre, hambre*

5.5 Ejemplo de transcripción fonética y fonológica

Se empleará la denominada transcripción semiestrecha, que prescinde de los grados de abertura y de cierre de los alófonos vocálicos. Se adopta, además, el punto de vista de un hablante *seseante* y *yeísta*.

Algunos signos diacríticos que se utilizan en la transcripción son:

′   Indica el acento sobre las vocales tónicas del enunciado.

˜   Indica una vocal nasalizada por estar junto a sonidos nasales.

:   Indica que el sonido precedente es más largo de lo normal, es decir, que tiene mayor duración.

‿   Señala sinalefa, la unión de dos o más vocales en una sola sílaba.

| Indica una pausa breve en el interior de la oración.

|| Indica la pausa mayor al final de la oración.

Texto 1:

"El hecho central que debe tener en cuenta cualquier teoría lingüística significativa es el siguiente: un hablante maduro puede producir una oración nueva de su lengua en la ocasión apropiada, y los otros hablantes pueden entenderla de inmediato, aunque sea igualmente nueva para ellos."

Transcripción fonética:

[eléčoseɲtrálkeðéβetenéreŋkwéɲtakwalkjérteoríaliŋgwístikasiɣnifikatíβa |
éselsiɣjéɲte | | únaβláɲtemaðúropwéðeproðusírunaǫorasjón:wéβa
ðesuléŋgwa | enlaǫokasjónapropjáða | ilosótrosaβláɲtespwéðeněɲteɲdér
laðei̯m:eðjáto | au̯ŋkeséai̯ɣwálměɲtenwéβaparaǫéǰos | |]

Transcripción fonológica:
(Los símbolos mayúsculos N y R representan los *archifonemas* nasal y vibrante, respectivamente, en los contextos donde hay *neutralización* de la oposición.)

/el éčo seNtrál ke débe tenéR eN kuéNta kualkiéR teoría liNguístika
signifikatíba es el sigiéNte| úN abláNte natíbo puede produsíR úna orasióN
nuéba de su léNgua eN la okasióN apropiáda| i los ótros abláNtes puédeN
eNteNdéRla de iNmediáto|auNke séa iguálméNte nuéba para ǰos| |/

Texto 2:

¡Juventud, divino tesoro,
ya te vas para no volver!
Cuando quiero llorar, no lloro,
y a veces lloro sin querer.

Transcripción fonética:

[xuβeɲtúð| diβínotesóro| |
Játeβásparanóβolβér| |
kwaɲdokjéroǰorárnóǰóro| |
jaβéseǰórosiŋkerér| |]

Transcripción fonológica:

/xubeNtúd| dibíno tesóro| |
já te bás para nó bolbér| |
kuaNdo kiéro ǰoráR nó ǰóro| |
i a béses ǰóro siN kerér| |/

EJERCICIOS DEL CAPÍTULO V

I. Escriba el símbolo correspondiente en transcripción fonética a:

1.1. La primera consonante de la palabra *chino*: [   ]

1.2. El sonido final de la palabra *buey*: [   ]

1.3. La segunda consonante de la palabra *cinco*: [   ]

1.4. El primer sonido de la palabra *huella*: [   ]

1.5. La primera consonante de la palabra *aviso*: [   ]

II. Escriba en forma ortográfica las siguientes palabras que aparecen transcritas fonéticamente:

2.1. [kačúča]:   2.6. [oříβle]:

2.2. [řaşɣúɲo]:   2.7. [kinjéŋtos]:

2.3. [aŋtíɣwo]:   2.8. [baŋgwárðja]:

2.4. [siŋkwéŋta]:   2.9. [eksklusíβo]:

2.5. [embiðjóso]:   2.10. [řefuxjáðo]:

III. En cada una de las siguientes palabras hay un error de transcripción. Identifique el error y escriba el signo correcto en el espacio dispuesto:

3.1. *abuelo*: [aβuélo]: [   ]   3.6. *cadera*: [kadéra]: [   ]

3.2. *siete*: [siéte]: [   ]   3.7. *carrera*: [karéra]: [   ]

3.3. *febrero*: [febréro]: [   ]   3.8. *disgusto*: [disɣústo]: [   ]

3.4. *seis*: [séis]: [   ]   3.9. *encanto*: [enkáŋto]: [   ]

3.5. *tengo*: [téŋɣo]: [   ]   3.10. *huracán*: [uračán]: [   ]

IV. Después de leerlos en voz alta, transcriba fonéticamente estos textos:

4.1 No dejes para mañana:

lo que puedes hacer hoy:

4.2 Recuerde el alma dormida:

cómo se pasa la vida:

V. El profesor o un compañero de la clase leerá en voz alta las siguientes oraciones para que los demás realicen la transcripción fonética.

5.1 En pleito de marido y mujer, nadie se debe meter.

5.2 No hay mal que por bien no venga.

5.3 Dicen que la distancia es causa del olvido.

VI. Este ejercicio debe ser hecho por grupos de dos o más estudiantes. Se trata de *palabras* inventadas que deben ser leídas en voz alta por un miembro del equipo. Los demás transcriben fonéticamente cada *palabra* que oyen y luego comparan su solución con la ofrecida en el libro.

6.1 [pektwíla]:   6.2 [r̄iljonál]:

6.3 [orspáŋgo]:   6.4 [fruʂɣáβo]:

6.5 [mwárfeðis]:   6.6 [aɲtoi̯plísa]:

VII.   ¿Sería válido afirmar que en español la ortografía coincide con la transcripción fonológica? Explique.

_____

_____

_____

VIII. CRUCIGRAMA 5

VERTICALES:

1. Palabra que se transcribe fonéticamente así: [síŋko].
3. Palabra que se transcribe fonéticamente así: [eksámẽn].
4. Representación gráfica de los fonemas y de los alófonos.
5. Característica de variantes como [β, f, ð, θ].
6. Palabra que se transcribe fonéticamente así: [wéβo].
10. Representación convencional de un sonido o de otra cosa.
11. Sonido concreto a través del cual se manifiesta un fonema en el habla.
12. Secuencia de dos letras que representan un solo sonido.
13. Rasgo que adquieren las variantes [ŋ] y [ḷ] cuando están delante de [t] o [d].
14. Unidad funcional o distintiva que se manifiesta a través de sus alófonos.

HORIZONTALES:

2. Rasgo que caracteriza los segmentos [b, β, m, p].
7. Escritura correcta de las palabras de una lengua.
8. Símbolos utilizados para encerrar la transcripción fonética.
9. Palabra que se transcribe fonéticamente así: [embíðja].
15. Tipo de transcripción que reproduce los alófonos.
16. Conjunto de símbolos gráficos arbitrarios para representar los sonidos.

IX. Lea en voz alta y luego transcriba fonéticamente estos textos:

9.A
Mientras haya unos ojos que reflejen
los ojos que los miran;
mientras responda el labio suspirando
al labio que suspira,

mientras sentirse puedan en un beso
dos almas confundidas;
mientras exista una mujer hermosa,
¡habrá poesía!

9.B
Volverán las oscuras golondrinas
en tu balcón sus nidos a colgar,
y otra vez con el ala a sus cristales
jugando llamarán.

Pero aquellas que el vuelo refrenaban
tu hermosura y mi dicha al contemplar,
aquellas que aprendieron nuestros nombres ...,
esas ... ¡no volverán!

Volverán del amor en tus oídos
las palabras ardientes a sonar;
tu corazón de su profundo sueño
tal vez despertará.

Pero mudo y absorto y de rodillas,
como se adora a Dios ante su altar,
como yo te he querido ..., desengáñate,
¡así no te querrán!
     (Gustavo A. Bécquer)

9.C   Al camarón que se duerme, se lo lleva la corriente.

        A quien Dios no le da hijos, el diablo le da sobrinos.

Capítulo VI

LAS VOCALES

6.1 Las vocales

El sistema vocálico español es muy sencillo y claro. Está compuesto por solo cinco vocales que se distinguen entre sí por medio de tres grados de abertura y tres zonas de articulación, como se observa en el cuadro 6.1.

Lugar ➤	Anterior	Central	Posterior
M Alta	i		u
o Media	e		o
d			
o Baja		a	

Cuadro 6. 1. Fonemas vocálicos

En otras lenguas, como el inglés o el francés, hay mayor complejidad. Tienen quince o más unidades y requieren una cantidad superior de rasgos. En español, las 5 vocales se reparten el espacio bucal de forma simétrica: 2 en la zona anterior, 1 en la central y 2 en la posterior. Según la posición de la lengua, pueden representarse con un esquema triangular como este:

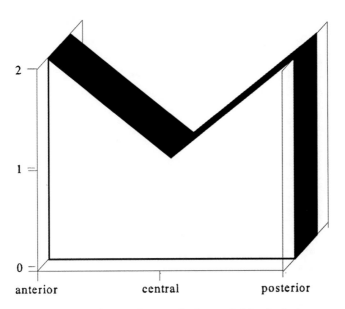

Número de vocales según la posición de la lengua

6.2 Descripción fonológica

La sencillez del sistema de las vocales españolas permite definirlas fonológicamente utilizando solamente dos rasgos: modo (grado de abertura de la cavidad bucal) y lugar de articulación (posición de la lengua). La formulación de esas dos características es suficiente para identificar a cada vocal diferenciándola de las otras:

/i/:	alta y anterior
/e/:	media y anterior
/a/:	baja y central
/o/:	media y posterior
/u/:	alta y posterior

En español, como se ha indicado, las vocales son los únicos fonemas que pueden constituir núcleo silábico. Por eso, son capaces incluso de formar palabras por sí solos, de forma aislada o combinados entre sí, como en los ejemplos siguientes: *a* (preposición), *he* [e] (forma del verbo haber), y [i], *o*, *u* (conjunciones), *oía*, *ahí*.

La función distintiva de los cinco fonemas vocálicos se puede mostrar por medio de la comparación de palabras como estas:

masa, *mesa*, *misa*, *moz*[s]*a*, *musa*;

paso, *peso*, *piso*, *poso*, *puso*.

Pueden aparecer en cualquier posición de la palabra (inicial, interior o final) y en combinación con cualquier consonante. Hay que observar, sin embargo, que las cerradas /i, u/ son muy poco frecuentes en sílaba final no acentuada. Ilustran este contexto cultismos como *crisis*, *tribu*, *espíritu*, *bronquitis*, y formas familiares o afectivas como *Pili*, *bici*, *Maru*.

6.3 Descripción fonética

Desde el punto de vista fonético, la descripción de una vocal incluye todos los rasgos que caracterizan su articulación, sean o no sean relevantes para su identificación: acción del velo del paladar, acción de las cuerdas vocales, modo y lugar de articulación:

[i]:	oral, sonora, alta, anterior
[e]:	oral, sonora, media, anterior
[a]:	oral, sonora, baja, central
[o]:	oral, sonora, media, posterior
[u]:	oral, sonora, alta, posterior

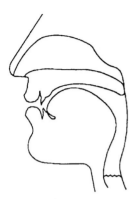

Figura 6.1 Esquema de
la /i/: alta, anterior

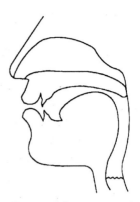

Figura 6.2 Esquema de
la /u/: alta, posterior

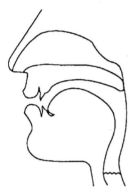

Figura 6.3 Esquema de
la /e/: media, anterior

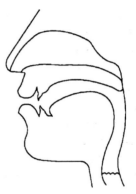

Figura 6.4 Esquema de
la /o/: media, posterior

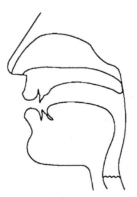

Figura 6.5 Esquema de
la /a/: baja, central

Cada uno de los fonemas vocálicos se manifiesta fonéticamente por medio de una variedad de alófonos. Por ejemplo, el fonema /a/ presenta una variante velarizada [ɑ] cuando está en ciertos contextos, como delante de las vocales /o, u/: *ahora* [ɑóra], *causar* [kɑu̯sár], o de las consonantes /l, x/: *altar* [ɑl̩tár]; y una variante central normal [a] cuando está en otras posiciones. La /e/ y la /o/, por su parte, tienen los alófonos [ɛ] y [ɔ], respectivamente, más abiertos que lo normal, cuando aparecen en contextos como delante de /x/: *lejano* [lɛxáno], en contacto con /r̄/: *rosa* [r̄ɔsa], o en los diptongos decrecientes ei̯, oi̯: *peinar* [pɛi̯nár], *soy* [sɔi̯].

Sin embargo, en virtud de la intención introductoria de esta obra, esas diferencias no son tomadas en cuenta y solo se consideran aquí los alófonos más notables, como se muestra en el cuadro siguiente:

	Lugar ➤	Anterior	Central	Posterior
M	Semicons.	j		w
o	Semivocal	i̯		u̯
d	Alta	i		u
o	Media	e		o
	Baja		a	

Cuadro 6.2. Alófonos vocálicos

6.4 Semiconsonante y semivocal

En las primeras dos filas del cuadro figuran los alófonos no silábicos de las vocales cerradas /i, u/, que son las únicas capaces de ocupar una posición marginal o no nuclear dentro de la sílaba, en los diptongos y los triptongos. Cuando la /i/ o la /u/ ocupan la posición silábica prenuclear en un diptongo o un triptongo, reciben el nombre de *semiconsonantes* y se transcriben con los símbolos [j, w], respectivamente.
Ejemplos: *diente* [djén̯te], *cuatro* [kwátro], *Uruguay* [uruɣwái̯].

Cuando se encuentran en el margen final del diptongo o del triptongo, entonces se llaman *semivocales* y se transcriben con los signos [i̯, u̯], respectivamente.

Ejemplos: *reina* [r̄éi̯na], *causa* [káu̯sa], *buey* [bwéi̯].

Ambas variantes vocálicas reciben el nombre genérico de *deslizadas*, y tienen en común una serie de rasgos. En primer lugar, son unidades marginales dentro de la sílaba, y no pueden ocupar la posición del núcleo. En consecuencia, nunca reciben el acento: son inacentuadas por naturaleza. Además, constituyen elementos vocálicos dependientes ya que requieren la presencia obligatoria de una vocal que realice la función de núcleo, a la cual acompañan. Finalmente, su articulación suele ser más breve que la de la vocal nuclear de la sílaba.

6.5 Vocales nasalizadas

La *oralidad* de las vocales es un rasgo que en español no tiene valor distintivo porque, en condiciones normales, todas son orales. En lenguas como el francés, sin embargo, la diferencia entre vocal oral y vocal nasal permite distinguir una palabra de otra, según demuestran estos ejemplos: *beau* /bo/ (hermoso); *bon* /bõ/ (bueno).

Ahora bien, aunque fonológicamente las vocales españolas son orales, existen contextos en los que pueden nasalizarse. Esto sucede con frecuencia cuando el sonido vocálico se encuentra en medio de dos consonantes nasales, como la /a/ de *mano*, y a veces al inicio de palabra precedida de pausa y seguida de nasal, como la /e/ de *en fin*. Según eso, en el nivel fonético se diferencian las vocales *orales*, [a, e, i, o, u], de las vocales *nasalizadas* u *oronasales* (el aire sale por la boca y por la nariz), [ã, ẽ, ĩ, õ, ũ].

6.6 Vocales redondeadas

De acuerdo con el lugar de articulación, o la posición de la lengua en sentido anteroposterior, los sonidos vocálicos del español son:

anteriores: [i, j, i̯, e]
centrales: [a]
posteriores: [u, w, u̯, o]

Una característica fonética importante de las vocales posteriores es el redondeamiento de los labios, que se abocinan o se mueven hacia delante. Por su parte, las vocales anteriores no poseen este redondeamiento porque se pronuncian con los labios estirados contra los dientes incisivos.

En español, el rasgo de la posición de la lengua es inseparable del movimiento de los labios. Entre los dos existe una relación inversamente proporcional: si la lengua retrocede hacia la zona posterior de la boca, los labios adoptan una posición adelantada y se abocinan, haciendo más largo el espacio bucal; si la lengua avanza hacia la parte anterior de la boca, entonces los labios se estiran, quedando en posición de contacto con los dientes incisivos y acortando así la cavidad. En consecuencia, las vocales posteriores, /o/, /u/ y sus variantes, son *redondeadas* o labializadas, en tanto que las anteriores, /i, e/ y sus variantes, son no redondeadas. Como resultado de esto, desde el punto de vista acústico, las primeras son graves (la cavidad resonadora es grande) y las segundas, agudas (cavidad reducida).

6.7 Vocales altas (no débiles) y bajas o medias (no fuertes)

De acuerdo con el modo de articulación, o lo que es lo mismo, según el grado de abertura de la cavidad bucal, los sonidos vocálicos se dividen de la siguiente manera:

a. altos o cerrados: [i, j, i̯, u, w, u̯]
b. medios: [e, o]
c. bajos o abiertos: [a]

A través del tiempo se ha repetido mucho que las vocales /i, u/ son débiles y que las demás, /a, e, o/, son fuertes. Conviene puntualizar que esta designación, que quizá encierre valor figurado, no tiene fundamento desde el punto de vista fonético.

El rasgo de *fortaleza* o *debilidad*, aplicado a una vocal, hace referencia directa a su intensidad, que es un elemento variable en la configuración de todo sonido. Cualquier segmento puede ser más o menos intenso (o fuerte), dependiendo de la fuerza con la que el hablante haga salir el aire de sus pulmones, porque el grado específico de intensidad no forma parte de la naturaleza de ningún sonido determinado. Así que la /i/ de *piso* y la /u/ de *uva* no solo pueden ser, sino que de hecho son más fuertes que la /o/ y la /a/ que, respectivamente, las acompañan en esas palabras.

Si al llamar *débiles* a la /i/ y la /u/ lo que se quiere decir es que dejan de ser verdaderas vocales cuando forman diptongo o triptongo, porque se convierten en deslizadas para ocupar la posición marginal de la sílaba, debe entenderse que esta capacidad de semivocalizarse o semiconsonantizarse depende de su naturaleza cerrada o alta, y no de una supuesta *debilidad*. Como se estudiará más adelante, los fonemas se organizan dentro de la sílaba de acuerdo con una progresión que va de menor a mayor abertura desde el inicio hasta el núcleo y de mayor a menor abertura desde el núcleo hasta el final de la sílaba. Por ese motivo, como en español el núcleo de la sílaba tiene que estar ocupado por *una vocal*, cuando hay dos vocales, una de ellas tiene que ser cerrada o alta para poder ajustarse a la posición marginal, que requiere menor abertura que la del núcleo.

6.8 Articulación clara y tensa de las vocales

Otro de los rasgos fonéticos importantes de las vocales españolas es su articulación tensa y clara en cualquier contexto. A pesar de que las vocales inacentuadas tienden a ser más relajadas que las acentuadas, su realización no llega nunca al estado de debilitamiento que caracteriza a las vocales átonas del inglés, por ejemplo, que se convierten en una especie indefinida llamada *shwa* [ə]. La tensión articulatoria propia de las vocales españolas hace que no pierdan su identidad, sino que se mantengan reconocibles como tales en cualquier contexto. La palabra *oportunidad* [oportuniðáð] ofrece un buen ejemplo de vocales átonas que mantienen su timbre normal.

Tampoco se produce en español la articulación diptongada a la que tienden muchos hablantes del inglés al pronunciar la /e/ y la /o/ españolas como [eɪ̯] y [oʊ̯], diciendo, por ejemplo, [noʊ̯] en vez de [no].

6.9 Secuencias vocálicas

En el interior de una palabra española pueden aparecer varias vocales consecutivas que si se analizan con relación a su pertenencia a la sílaba dan lugar a combinaciones llamadas *diptongos*, *triptongos* y *hiatos*.

6.9.1 Diptongo

Un diptongo es la combinación de dos vocales en el interior de una misma sílaba, como ocurre en las palabras *puerta*, *rubia*, *aire*, *boina*.

Para que este fenómeno sea posible, son necesarias dos condiciones:

a. Por lo menos una de las dos vocales tiene que ser alta o cerrada, es decir, /i/ o /u/.
   Esa vocal cerrada se convierte en semiconsonante o semivocal para desempeñar la función de margen inicial o final de la sílaba, porque no pueden estar las dos vocales en el núcleo.

b. Si las dos vocales son altas, tienen que ser diferentes, porque el español no admite secuencias de vocales iguales en una sílaba. Esta es la razón por la que la forma de segunda persona plural de los verbos en -ir, como *partir*, es [ís] (*partís*), no [íis], como sería esperable de acuerdo con el modelo de las otras conjugaciones: [áis] (*amáis*), [éis] (*teméis*).

Se distinguen dos tipos de diptongos, según la posición que ocupe la vocal alta no nuclear (deslizada) con respecto al núcleo silábico. Unos son llamados *crecientes* y otros, *decrecientes*.

Diptongos *crecientes*:

Se llaman crecientes los diptongos en los que la vocal más cerrada está situada antes que la más abierta, que hace el papel de núcleo. Se produce, en consecuencia, una transición de menor a mayor abertura de la cavidad bucal. La vocal cerrada inicial se denomina *semiconsonante*: [j, w].

En español hay ocho diptongos de este tipo:

[ja]: *gracias*   [jo]: *adiós*   [wa]: *cuatro*   [wi]: *cuidado*

[je]: *diente*   [ju]: *ciudad*   [we]: *bueno*   [wo]: *antiguo*

Diptongos *decrecientes*:

Si el elemento inicial del diptongo es la vocal más abierta, el núcleo, y la vocal más cerrada aparece en segundo lugar, entonces el diptongo se llama decreciente, porque se pasa de una abertura mayor a una menor. El elemento cerrado que termina el diptongo se denomina *semivocal*: [i, u].

De este tipo hay en español seis combinaciones:

[ai]: *baile*   [au]: *causa*

[ei]: *peine*   [eu]: *deuda*

[oi]: *soy*   [ou]: *bou, lo usó*

A esas seis combinaciones de diptongos decrecientes podría añadirse otra formada por las vocales altas [ui], que aparece en el habla de muchas personas al pronunciar algunas palabras como el adverbio *muy*: [mú$\underset{\wedge}{\imath}$].

Aunque la vocal más cerrada del diptongo recibe un nombre distinto según esté al inicio (semiconsonante) o al final (semivocal), es importante destacar su parentesco fundamental. Ambas son elementos marginales, es decir, no silábicos, en cuya pronunciación se reduce la abertura del canal bucal en relación con lo propio de una vocal alta en posición nuclear. Esto las acerca de tal forma al sonido consonántico, que en ciertas ocasiones se convierten en consonantes plenas. Piénsese en casos como estos:

al inicio de palabra: *yerba* (de *hierba*); *yendo* (gerundio de *ir*)

al final de palabra: *ley* [lé$\underset{\wedge}{\imath}$] - *leyes* [léȷ̃es]; *rey* [r̄é$\underset{\wedge}{\imath}$] - *reyes* [r̄éȷ̃es].

6.9.2 Triptongo

Un triptongo es la secuencia de tres vocales dentro de la misma sílaba. En este caso, la condición necesaria es que haya una vocal abierta o media, /a, e, o/, situada en medio de dos cerradas, /i, u/. Estas harán la función de semiconsonante o semivocal, según estén colocadas antes o después del núcleo. Ejemplos:

[ja$\underset{\wedge}{\imath}$]: *odiáis*   [jaŭ]: *miau*   [je$\underset{\wedge}{\imath}$]: *cambiéis*   [jo$\underset{\wedge}{\imath}$]: hioides

[wa$\underset{\wedge}{\imath}$]: *Paraguay*   [we$\underset{\wedge}{\imath}$]: *buey*   [waŭ]: *Cuauhtémoc*

6.9.3 Hiato

El hiato consiste en el encuentro o en la presencia consecutiva de dos vocales que pertenecen a dos sílabas distintas. Se trata, por tanto, del fenómeno contrario al diptongo. Las combinaciones posibles son muchas porque no existen condiciones, como en el caso del diptongo, sobre el tipo de vocal que debe formarlo. Pueden estar en hiato dos vocales altas, una vocal baja y una alta, dos bajas.

aa: *azahar*	**ee**: *leer*	**oo**: *alcohol*	**ii**: *riito*	**uu**: *tu uña*
ae: *paella*	**ea**: *lea*	**oa**: *oasis*	**ia**: *día*	**ua**: *actúa*
ao: *caoba*	**eo**: *veo*	**oe**: *poeta*	**ie**: *ríe*	**ue**: *actúe*
ai: *raíz*	**ei**: *leí*	**oi**: *oído*	**io**: *río*	**ui**: *influir*
au: *baúl*	**eu**: *reúne*	**ou**: *lo uno*	**iu**: *di una*	**uo**: *dúo*

En el habla espontánea se puede percibir una tendencia a pronunciar en una sola sílaba las vocales que forman hiato. Así, en lugar de *lí-ne-a* (*línea*), se dice *lí-nea*. Es el fenómeno conocido como *sinéresis*, que convierte el hiato (dos sílabas) en diptongo (una sílaba). A menudo el proceso se completa haciendo más cerrada una de las dos vocales [línja], de manera que se crea un diptongo perfecto, como cuando se dice *pasiar*, en lugar de *pasear*, o *tualla*, por *toalla*. La sinéresis es favorecida de manera especial por las palabras de uso muy frecuente, sobre todo si se hallan colocadas dentro de una cadena sintáctica. Así, en frases como *no había llegado*, *el poeta nacional*, *María Teresa*, los hiatos de *había*, *poeta* y *María*, tienden a desaparecer y ambas vocales se pronuncian en una sola sílaba.

Esta preferencia por el diptongo en español aparece atestiguada desde muy antiguo en casos como *reina* (de *regina*) y *vaina* (de *vagina*), que si hubieran mantenido el acento en la posición original, serían *reína* y *vaína*.

108

EJERCICIOS DEL CAPÍTULO VI

I. Seleccione la mejor respuesta:

1.1 Fonéticamente, la [o] se define con los siguientes rasgos:
   a. sonora, anterior, media, grave
   b. sonora, alta, oral, posterior
   c. sonora, posterior, oral, media
   d. posterior, baja, sonora, fuerte

1.2 Las siguientes palabras contienen ejemplos de diptongos *crecientes*:
   a. creía, causa, soy
   b. cuatro, nueve, diez
   c. siete, auto, estoy
   d. pausa, ahí, Europa

1.3 Las palabras siguientes contienen hiatos:
   a. poesía, hoy
   b. oía, puerta
   c. caoba, ley
   d. poeta, oído

1.4 Una vocal se hace frecuentemente oronasal cuando se encuentra:
   a. entre sonidos cerrados
   b. al final de la palabra
   c. al inicio de la palabra
   d. entre consonantes nasales

1.5 Una definición fonológica de la vocal /i/ es:
   a. sonora, alta
   b. baja, anterior
   c. alta, anterior
   d. oral, aguda

1.6 En español, el redondeamiento labial caracteriza a las vocales:
   a. bajas
   b. cerradas
   c. posteriores
   d. agudas

1.7 Para que exista *diptongo* es necesario que por lo menos una vocal sea:
   a. fuerte
   b. baja
   c. alta
   d. anterior

1.8 Las únicas vocales españolas que pueden situarse en el margen silábico acompañando al núcleo son las:
   a. abiertas
   b. cerradas
   c. labializadas
   d. anteriores

1.9 La existencia de un *hiato* requiere de manera necesaria:
   a. vocales distintas dentro de la misma sílaba
   b. vocal abierta o media seguida por vocal cerrada tónica
   c. dos vocales que pertenezcan a sílabas distintas
   d. dos vocales que no sean inacentuadas ni altas

1.10 Las vocales se diferencian *fonéticamente* de las consonantes porque tienen mayor:
   a. intensidad y duración
   b. oralidad y posterioridad
   c. sonoridad y amplitud
   d. abertura y sonoridad

II. ¿Hay un triptongo en la palabra *leía*? Explique.

_____

_____

_____

III. ¿Cuál es la diferencia *fonológica* más importante entre las vocales y las consonantes en español?

_____

_____

IV. Debajo de cada esquema articulatorio, indique la vocal a la que corresponde y explique por qué.

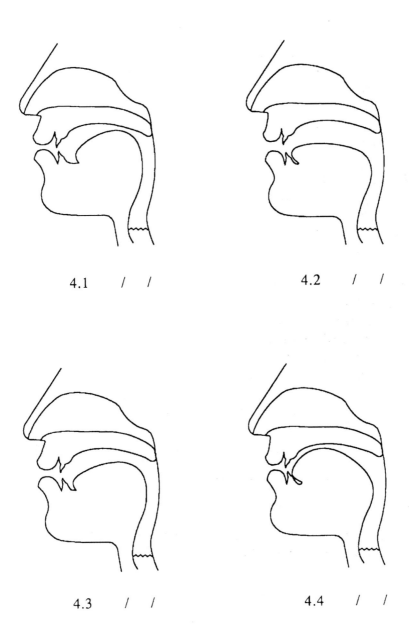

4.1   /   /   4.2   /   /

4.3   /   /   4.4   /   /

V. CRUCIGRAMA 6

VERTICALES:
1. Nombre de la variante vocálica alta situada después del núcleo en un diptongo.
2. Tipo de diptongo que se inicia con la vocal más cerrada.
3. Pronunciación en una sola sílaba de vocales que forman hiato en una palabra.
4. Vocal que se articula colocando la lengua hacia el frente de la cavidad bucal.
5. Presencia de tres vocales dentro de la misma sílaba.
7. Característica exclusiva de cada vocal posterior en español.
10. Vocal que se pronuncia dejando salir el aire por la boca y por la nariz.
11. Presencia de dos vocales dentro de la misma sílaba.

HORIZONTALES:
1. Variante de una vocal cerrada que inicia un diptongo creciente.
6. Nombre sin base fonética que tradicionalmente se daba a la vocal alta.
8. Número de diptongos crecientes en español.
9. Dos vocales consecutivas que pertenecen a sílabas diferentes en una palabra.
12. Nombre genérico que se da a las variantes semivocal y semiconsonante.
13. Diptongo que comienza con la vocal más abierta y termina con la más cerrada.
14. Característica de la vocal /i/ que la distingue de la /e/.
15. Lengua hermana del español en la que la nasalidad de las vocales es distintiva.
16. Rasgo de las vocales /o, u/ según el lugar de articulación.

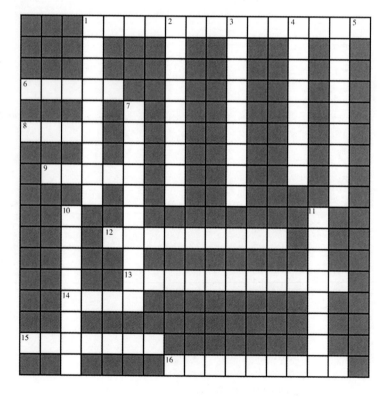

112

VI. Lea en voz alta y luego transcriba fonéticamente estos textos:

6.A   Cuentan de un sabio que un día,
tan pobre y mísero estaba,
que solo se sustentaba
con unas hierbas que comía.

Yo sueño que estoy aquí,
de estas prisiones cargado,
y soñé que en otro estado
más lisonjero me vi.
¿Qué es la vida? Un frenesí.
¿Qué es la vida? Una ilusión,
una sombra, una ficción,
y el mayor bien es pequeño;
que toda la vida es sueño,
y los sueños, sueños son.
        (Calderón de la Barca)

6.B
Después de su conferencia, el autor recibió prolongados aplausos.

En la tertulia todos tuvieron oportunidad de expresar su opinión.

Antes del baile, la niña le pidió a su tía que la peinara.

6.C   El día en que tú naciste
nacieron todas las flores,
en la pila del bautismo
cantaron los ruiseñores.

Quisiera ser solecito
para entrar por tu ventana,
y darte los buenos días
acostadita en la cama.

Capítulo VII

LAS CONSONANTES

7.1 Las consonantes

El sistema consonántico del español está integrado por 19 unidades, según se muestra en el cuadro 7.1. De ellas, doce son obstruyentes (oclusivas, fricativas y africadas) y siete, no obstruyentes (nasales y líquidas).

lugar➤ *modo*▼	*bilabial*		*labiod.*		*dental*		*interd.*		*alveolar*		*palatal*		*velar*	
	sor	son	sor	son	sor	son	sor	son	sor	son	sor	son	sor	son
oclusivo	p	b			t	d							k	g
fricativo			f				θ		s			ĵ	x	
africado											č			
nasal		m								n		ɲ		
lateral										l		λ		
vibr. s.										r				
vibr. m.										r̄				

Cuadro 7.1. Fonemas consonánticos

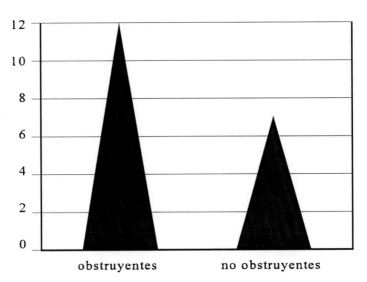

Número de consonantes obstruyentes y no obstruyentes

117

Si se consideran los alófonos o sonidos que manifiestan a esos fonemas en el habla, el número de unidades se eleva por lo menos a 30, como se indica en el cuadro 7.2. En el cuadro se excluyen dos símbolos que aparecen en el listado ofrecido para la transcripción: el correspondiente al alófono palatalizado [n̠], propio del fonema /n/ cuando aparece delante de consonante palatal, que compartiría en el cuadro la misma casilla del fonema palatal /ɲ/; y la variante fricativa [ɹ] del fonema /r/, que estaría en superposición, dentro de una misma casilla, con el alófono sonoro [ş] del fonema /s/. Este hecho deriva de una limitación de los rasgos utilizados tradicionalmente, lo que ha llevado a algunos lingüistas a preferir rasgos de carácter binario, como +obstruyente, -obstruyente; +continuo, -continuo.

lugar▶ modo▼	bilabial		labiod.		dental		interd.		alveolar		palatal		velar	
	sor	son	sor	son	sor	son	sor	son	sor	son	sor	son	sor	son
oclusivo	p	b			t	d							k	g
fricativo		β	f				θ	δ	s	ş		ĵ	x	γ
africado											č	J		
nasal		m		ɱ		ṇ		ṇ		n		ɲ		η
lateral						ļ		ḷ		l		λ		
vibr. s.										r				
vibr. m.										r̄				

Cuadro 7.2. Alófonos consonánticos

7.2 Obstruyentes

7.2.1 Oclusivas

La articulación de las consonantes oclusivas se caracteriza por un cierre total en un determinado lugar de la boca, lo que obliga a interrumpir por un momento la salida del aire, que escapa de golpe al separarse los órganos. Son llamadas también *interruptas* y *momentáneas*. En español, hay seis fonemas oclusivos que se organizan en tres series, según el lugar de articulación: bilabiales, dentales y velares. Cada serie está compuesta por una pareja cuyos miembros se oponen por la sonoridad: uno de los dos es sordo y el otro, sonoro.

Esa oposición de sonoridad coexiste con la de tensión, de forma que las sordas son al mismo tiempo *tensas* (los órganos articulatorios actúan con mayor energía y rigidez) y las sonoras son *flojas* o menos tensas. Este hecho se puede verificar cuando se utiliza el susurro, que consiste en hablar con voz muy baja, sin que vibren las cuerdas vocales. En esta circunstancia especial de comunicación, desaparece la distinción de sonoridad porque las cuerdas vocales no vibran. Por tal motivo, las sonoras /b, d, g/ deberían confundirse con sus correlativas sordas /p, t, k/. Pero ese no parece ser el caso. Al desaparecer la sonoridad, la distinción se realiza por medio de la tensión, que deja de ser un elemento redundante.

	bilabial	*dental*	*velar*
sorda (tensa)	p	t	k
sonora (floja)	b	d	g

Cuadro 7.3. Fonemas oclusivos

Las figuras 7.1 y 7.2 ilustran la articulación oclusiva de /b/ y de /k/, respectivamente.

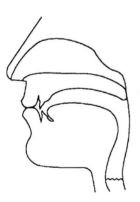

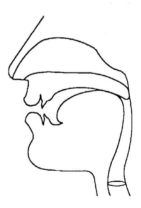

Figura 7.1
Esquema articulatorio de [b]

Figura 7.2
Esquema articulatorio de [k]

Por otra parte, la mayor tensión de las sordas se confirma a través de la evolución histórica que transformó al latín vulgar en castellano, en la que se percibe una jerarquía de fuerza donde primero están las oclusivas sordas y después las oclusivas sonoras. Existen muchos ejemplos de sordas que se hicieron sonoras y de sonoras que desaparecieron, pero no a la inversa. Por ejemplo, la palabra española *dedo* deriva de la latina *digitus*, en la que la sonora /g/ desapareció y la sorda /t/ se convirtió en la sonora /d/. Posteriormente esta /d/ se hizo fricativa y en la actualidad tiende a la desaparición: [déo] en lugar de [déðo]. Otros ejemplos que ilustran el mismo fenómeno se encuentran en las palabras *lago*, de *lacu* (k > g); *río*, de *rivu* (v > ɸ); *sobre*, de *super* (p > b); *oído*, de *auditu* (d > ɸ, t > d).

En la pronunciación moderna, las oclusivas sordas muestran su grado mayor de tensión articulatoria con el hecho de que se mantienen oclusivas en muchos más contextos que las sonoras. Estas solo son oclusivas cuando aparecen después de una pausa o de una consonante nasal (y después de /l/ en el caso de la /d/). En las demás posiciones se suavizan o se aflojan.

Desde el punto de vista fonológico, las oclusivas sordas se oponen a las sonoras en posición inicial de la sílaba, como muestran estos ejemplos: *peso/beso*, *nata/nada*, *manco/mango*. Sin embargo, la sonoridad deja de ser una característica distintiva al final de la sílaba. En ese contexto, las oposiciones entre p/b, t/d, k/g pierden su valor fonológico, se neutralizan.

Como consecuencia de dicho fenómeno, la realización fonética de estos fonemas cuando aparecen al final de sílaba puede corresponder a cualquiera de los miembros de la pareja. La palabra *ritmo*, por ejemplo, puede ser pronunciada como [r̄ítmo], pero también como [r̄íðmo], sustituyendo la /t/ por el sonido sonoro fricativo [ð], que es una variante del fonema /d/. En contraposición, la /d/ puede manifestarse como [t], de manera que una palabra como *adjetivo* podría ser pronunciada [aðxetíβo] o [atxetíβo].

Lo mismo se aplica a las demás parejas. La palabra *apto* puede decirse [áβto], [ábto], [ápto]; *obtener*: [optenér], [obtenér], [oβtenér]; *actor*: [aγtór], [agtór], [aktór]; *signo*: [síkno], [sígno], [síγno].

En estos casos, lo que determina la selección de una u otra variante no es el contexto fonético, sino el grado de formalidad de la conversación o ciertas preferencias individuales. En general, lo común en habla espontánea es la realización floja: [aγtór], [síγno], [r̄íðmo], [aðxetíβo]. En estilos formales, sin embargo, o cuando la pronunciación es más lenta y enfática, aparece con cierta frecuencia el alófono tenso: [aktór], [síkno], [r̄ítmo].

Por otra parte, en comparación con las oclusivas inglesas, conviene puntualizar algunos detalles de interés. En primer lugar, las consonantes /t/ y /d/ del español se articulan haciendo un firme contacto del ápice de la lengua contra la cara interna de los dientes incisivos superiores, no contra los alvéolos, como en inglés, según indican las figuras 7.3 y 7.4.

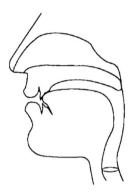 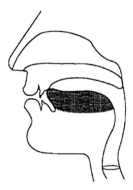

Figura 7.3
Esquema de [t] en español

Figura 7.4
Esquema de [t] en inglés

En segundo lugar, la pronunciación de las oclusivas sordas españolas en posición inicial no va acompañada por aspiración, ni las sonoras tienden al ensordecimiento, como sucede en inglés.

Finalmente, desde el punto de vista ortográfico, la bilabial sonora /b/ puede representarse con dos grafemas distintos, "b" y "v", como se muestra en los ejemplos *un barco* [umbárko], *un vaso* [umbáso]. De forma similar ocurre con las velares. La sorda /k/ se representa en general con la letra "c" cuando aparece ante las vocales no anteriores: a (*casa*), o (*cosa*), u (*cuna*); con "qu" delante de las vocales anteriores: e (*queso*), i (*quiso*); en algunas palabras se escribe "k": *kilo, kantiano, kermés, kilómetro, kiosco*. La sonora /g/ se escribe "g" delante de las no anteriores: a (*gato*), o (*gota*), u (*gula*); y "gu" delante de las anteriores: e (*guerra*), i (*guitarra*).

7.2.2   Fricativas

Si lo que caracteriza articulatoriamente la pronunciación de las oclusivas es un cierre completo del canal bucal, las fricativas se distinguen por ser producidas con un estrechamiento del canal por donde el aire puede salir gradualmente, rozando las paredes de los órganos. Esto permite prolongar la duración del sonido, porque el aire no se escapa de golpe, sino que lo hace poco a poco. Por eso las fricativas son llamadas también *continuas*.

Los fonemas consonánticos fricativos del español son cinco, distribuidos a todo lo largo del canal bucal en distintos lugares de articulación:

labiodental	interdental	alveolar	palatal	velar
f	θ	s	ǰ	x

Cuadro 7.4. Fonemas fricativos

Como se observa, la distinción entre las cinco consonantes fricativas se realiza por medio del lugar de articulación. La sonoridad, en este caso, no desempeña una función diferenciadora, como ocurre con las oclusivas. En consecuencia, en español no existen oposiciones, como en inglés o en francés, entre una labiodental sorda /f/ y una labiodental sonora /v/; o entre una fricativa alveolar sorda /s/ y una fricativa alveolar sonora /z/.

Además de los cinco fonemas fricativos, que se manifiestan con sus correspondientes alófonos ([f], [θ], [s] sordo, [ṣ] sonorizado, [ǰ], [x]), existen en español sonidos fricativos que son realización de otros fonemas:

[β]:   alófono bilabial y *fricativo* de /b/, pronunciado con los labios entreabiertos; aparece en cualquier posición que no sea después de pausa ni de consonante nasal: *hablar* [aβlár], *carbón* [karβón].

[ð]:   alófono *interdental* y *fricativo* de /d/; aparece en cualquier posición que no sea después de pausa ni de /n/ o /l/: *padre* [páðre],

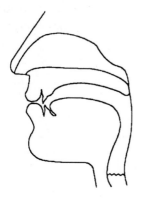

Figura 7.5
Esquema articulatorio de [β]

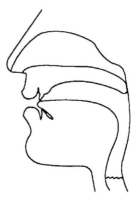

Figura 7.6
Esquema articulatorio de [ð]

nada [náða], *tarde* [tárðe]. El ápice lingual hace un contacto suave y breve con el borde de los incisivos superiores. Así que además de hacerse fricativo, este alófono cambia su lugar de articulación: el oclusivo [d] es dental, el fricativo [ð] es interdental.

[γ]:   alófono velar y *fricativo* de /g/; el postdorso lingual no llega a tocar el velo. Aparece en cualquier posición que no sea después de pausa ni de consonante nasal: *pagar* [payár], *algo* [ályo].

La /f/:

En español solo hay una fricativa labiodental, la sorda /f/, que se articula mediante un ligero contacto del labio inferior con el borde de los dientes incisivos superiores. El aire sale por los pequeños espacios que se crean entre ambos órganos. En algunas zonas, sobre todo ante el diptongo [we], como en *fuego*, se articula con ambos labios y no como labiodental.

Fonológicamente, la /f/ solo funciona con valor distintivo al inicio de sílaba: *falta - salta*; *cofre - cobre*. Al final de sílaba su presencia se limita a unas palabras aisladas: *naftalina, difteria*.

Aunque la lengua primitiva establecía una oposición entre la /f/ (sorda) y la /v/ (sonora), desde hace siglos la /v/ se confundió con la /b/ bilabial, de manera que donde ahora aparece escrita una "v", se pronuncia /b/. La realización fonética de *envidia* y *aviso* es [embíðja] y [aβíso], respectivamente. Cuando algunas personas dicen [avíso] en vez de [aβíso], probablemente actúan por ultracorrección, influidas por la escritura. Al hacerlo, mantienen una forma antigua de pronunciación. Desde una perspectiva histórica, es una práctica similar a la de pronunciar el sonido [h] en palabras como *hambre* o *hembra*, que también desapareció hace varios siglos.

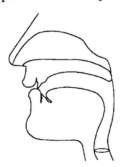

Figura 7.7   Esquema de la /f/

La /θ/:

La interdental sorda /θ/ se representa en la ortografía con dos letras distintas: "*c*" ante las vocales e, i (*cena, cinco*), excepto en algunos casos como *zebra, zinc*; y "*z*" en los demás contextos (*zapato, pozo, zumo, luz*).

Este sonido se articula introduciendo suavemente el ápice de la lengua entre los bordes de los dientes incisivos. El ápice se apoya ligeramente contra los dientes superiores, dejando que el aire se escape entre ambos.

El fonema /θ/ solo se conserva de forma regular en el habla de gran parte de España, no en todo su territorio. Tampoco forma parte de la pronunciación de ninguno de los países hispanoamericanos, donde se ha establecido como norma culta general el *seseo*, que es la sustitución de la /θ/ por la /s/. Este fenómeno de igualación de la /θ/ con la /s/ no solo es aceptado social y académicamente, sino que constituye un rasgo importante de la identidad lingüística y cultural de los más de 300 millones de hablantes hispanoamericanos, quienes considerarían afectado y cursi el empleo de la /θ/ en su pronunciación ordinaria.

También se da la igualación a la inversa, sustituyendo la /s/ por la /θ/. Pero este fenómeno, llamado *ceceo*, se encuentra limitado casi exclusivamente a zonas del sur de España y no cuenta con la estimación social o el prestigio que tiene el seseo.

La /θ/ puede aparecer comenzando y terminando una sílaba, así como al principio, en el interior y al final de la palabra: *zona, izquierdo, paz*.

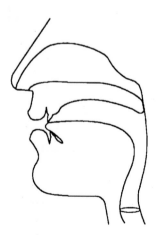

Figura 7.8 Esquema de la /θ/

La /s/:

La alveolar fricativa sorda /s/, llamada también *sibilante*, presenta varias modalidades de articulación. Entre las más notables están la apicoalveolar (figura 7.9), extendida en el centro y norte de España, y la predorsoalveolar (figura 7.10), muy generalizada en América.

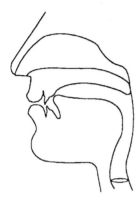

Figura 7.9
Esquema de la /s/ apical

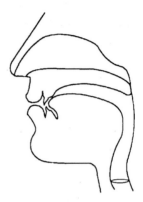

Figura 7.10
Esquema de la /s/ predorsal

En la pronunciación de la primera, como se observa en el dibujo 7.9, el ápice de la lengua se eleva y el dorso se dobla creando una concavidad debajo del paladar. Esto es lo que explica su timbre palatal y grave que a los oídos de muchos suena muy similar a la [š] de una palabra como *she*, en inglés, o *chat*, en francés. En el segundo tipo, el ápice desciende y el dorso se eleva reduciendo el espacio resonador, lo que trae como consecuencia un timbre más agudo.

Cuando la /s/ aparece en posición final de sílaba, tiende a sonorizarse delante de consonante sonora, como en *isla* [íẓla], *rasgo* [r̄áẓɣo].

En muchas zonas del mundo hispanohablante, además, la /s/ posnuclear se realiza, con mayor o menor frecuencia, como un sonido aspirado faríngeo [h]: *isla* [íhla], *las cuatro* [lah kwátro]. Esta forma de pronunciación se llama *aspiración* y consiste en una especie de soplo de aire que roza la faringe al salir con relativa fuerza por el canal bucal abierto. Se practica en diferentes grados en cada uno de los países donde se habla español, y es un fenómeno general en muchas regiones de América del Sur, en el área del Caribe y en el sur de España. En esos lugares es un hecho socialmente aceptado que está presente en el habla culta y en los medios de comunicación, como la radio y la televisión. A menudo, el relajamiento articulatorio llega hasta la eliminación de la consonante.

La /s/ es una de las consonantes que tiene una distribución fonética más amplia. Constituye un fonema muy rentable y útil en español, que funciona en múltiples contextos de la palabra (*sala, pasta, mes, instante*) y, desde el punto de vista morfológico, actúa como marca de plural nominal (*mesa-mesas*) y de segunda persona singular en los verbos (*ama-amas*).

La /ǰ/:

La palatal /ǰ/ es la única consonante fricativa del español caracterizada fonológicamente como sonora. En su articulación, el dorso de la lengua toca ambos lados del paladar, dejando una pequeña abertura en el centro, por donde el aire sale. Este alófono fricativo se manifiesta normalmente cuando /ǰ/ aparece en cualquier contexto que no sea después de pausa, de nasal ni de lateral: *ayuda* [aǰúða], *desyerbar* [des̬ǰerβár]. Si se encuentra después de pausa, de nasal o de /l/, entonces se realiza como africado [ɟ].

Sin embargo, aunque su realización fricativa más extendida es la [ǰ], en lugares como la zona rioplatense se pronuncia con frecuencia con una variante sonora tensa [ž], llamada *rehilada*, que es tenida como símbolo de la identidad lingüística porteña. Es un sonido producido con un zumbido o vibración adicional de aire, similar al de la consonante interior de las palabras inglesas *measure* o *pleasure*. También es común en esa región la variante ensordecida, igual que el sonido fricativo palatal [š] con que comienza la palabra francesa *chanter*: *ayer* ➡[ašér], *mayo* ➡[mášo].

En otras zonas, como el norte de México y países de Centroamérica, se realiza de manera muy abierta y relajada, con un alófono semiconsonántico. La palabra *ayer* aparece como [ajér] y no como [aǰér]. Este tipo de pronunciación se escucha frecuentemente en anglohablantes que al aprender español dicen, por ejemplo, [májo], en vez de [máǰo], con un sonido similar al de la "y" de la palabra inglesa *you*. Es oportuno precisar que la variante más generalizada y prestigiosa en español es la palatal, fricativa y sonora [ǰ], más cerrada y tensa que la semiconsonante [j] de *you* o *yes*.

Este fonema solo funciona fonológicamente en posición inicial de sílaba: *yuca - nuca, mayo - malo*.

La /x/:

La velar fricativa sorda /x/, de modo semejante a la /θ/, también se representa ortográficamente por medio de dos letras diferentes: "*j*" delante de cualquiera de las cinco vocales (*jamás, jefe, jinete, joven, juventud*) y "*g*" delante de e, i en otras palabras (*gente, gigante*).

La [x] se pronuncia acercando el posdorso lingual al velo del paladar. Se manifiesta con diversos grados de tensión articulatoria: uno muy tenso en la región norcentral de España, y otro más relajado en distintos países americanos. Aparte de esta articulación velar fricativa [x], el fonema /x/ ofrece una variante aspirada faríngea [h], semejante a la [h] del inglés en *home*, por ejemplo, en diferentes lugares de España y de América, donde *caja* se dice [káha] y no [káxa].

Desde el punto de vista fonológico, solo funciona al inicio de sílaba: *junto-punto, paja-pasa-pata*. Rara vez aparece al fin de palabra: *reloj*.

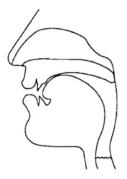   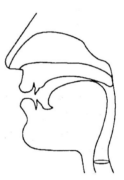

Figura 7.11 Esquema de [ǰ]   Figura 7.12 Esquema de [x]

7.2.3 Africadas

Se llaman africadas las consonantes en cuya pronunciación se combina una posición cerrada propia de oclusiva con otra semicerrada propia de fricativa. En el terreno fonológico, el español solo tiene una consonante africada, la palatal sorda /č/, que aparece únicamente en posición inicial de sílaba: *chiste-viste-quiste*; *mucho-mudo-mulo-muro*; *muchacho-mulato*.

La consonante /č/ se manifiesta en algunos lugares con un alófono fricativo [š]: [mušášo] *muchacho*. Pero dicha pronunciación no se considera apropiada para estilos formales ni es usual en el habla culta.

Aparte de [č], existe también en español otro sonido africado. Se trata del alófono palatal sonoro [ɟ], que corresponde al fonema /ǰ/ cuando se encuentra después de pausa, de /n/ o de /l/: *yo, inyección, el yerno*.

7.3 No obstruyentes

Son no obstruyentes los sonidos que se pronuncian con el canal supra-glótico relativamente abierto, permitiendo la salida del aire por la nariz, para las *nasales*, o por la boca, en el caso de las vocales y de las *líquidas*.

7.3.1   Nasales

Al pronunciar una consonante nasal, el velo del paladar desciende, se-parándose de la pared de la faringe. De esta forma, queda abierto el paso hacia las fosas nasales por donde el aire puede salir libremente.

En español hay tres fonemas nasales que se distinguen entre sí por el lugar de articulación.

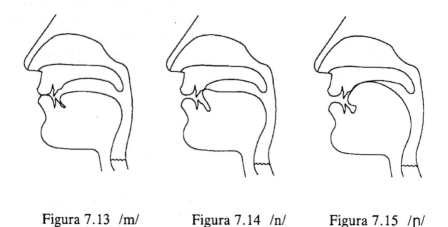

Figura 7.13 /m/   Figura 7.14 /n/   Figura 7.15 /ɲ/

bilabial	alveolar	palatal
m	n	ɲ

Cuadro 7.5. Fonemas nasales

128

Estas consonantes establecen entre sí oposición fonológica distintiva únicamente cuando se encuentran en posición inicial de sílaba, como se muestra en los ejemplos siguientes: *mata-nata-ñata*; *cama-cana-caña*. Cuando aparecen al final de la sílaba, pierden su capacidad diferenciadora, se neutralizan. No existen, por tanto, pares de palabras que se diferencien solo por la nasal en esta posición, como serían: *pan-*pam*, *canto-*cañto*.

La bilabial /m/ aparece al comienzo de palabra (*madre*) y al inicio de sílaba interna de palabra (*cama*). Aparte de estos contextos, solo se sitúa esporádicamente en posición final de silaba interna de palabra seguida por /n/ (*alumno, columna*) y en algunos cultismos al final de palabra (*álbum, memorándum*). La palatal /ɲ/, por su parte, nunca aparece al final de sílaba y, en los contextos donde puede estar, ocurre con muy poca frecuencia (*ñoño, maña*). De las tres, la alveolar /n/ es la que tiene una distribución más amplia y una frecuencia de aparición más alta. Puede aparecer tanto al comienzo y al final de la palabra (*nada, don*), como al inicio y al final de sílaba interna de palabra (*conejo, atento*).

Cuando el fonema /n/ aparece al final de sílaba, su realización fonética es muy variable: adopta el lugar de articulación de la consonante siguiente. Es como si perdiera su personalidad particular y se dejara amoldar según la forma del fonema al que precede. Este proceso de asimilación a la consonante siguiente tiene como efecto que existan múltiples alófonos nasales:

[m] (bilabial) si /n/ se encuentra delante /p, b/: un beso [úmbéso]

[ɱ] (labiodental) si se encuentra delante de /f/: enfermo [eɱférmo]

[n̪] (interdental) si se encuentra delante de /θ/: once [ón̪θe]

[n̪] (dental) si se encuentra delante de /t, d/: antes [án̪tes]

[ɲ] (palatal) si se encuentra delante de /č, ǰ, λ/: ancho [ánǰo]

[ŋ] (velar) si se encuentra delante de /k, g, x/: tengo [téŋgo]

[n] (alveolar) en el resto de los casos: tenso [ténso]

En todos estos casos, en la transcripción fonológica se utiliza el símbolo mayúsculo N, para indicar que se trata de un archifonema, porque la oposición entre las nasales queda neutralizada.

7.3.2 Líquidas

Las llamadas *líquidas* son consonantes con propiedades vocálicas. Su articulación se realiza con mayor abertura del canal bucal que la requerida para el resto de las consonantes y presentan también mayor sonoridad y un tono más alto que las demás. Se subdividen en *laterales* y *vibrantes*.

7.3.2.1 Laterales

Las consonantes laterales se caracterizan porque en su articulación el aire sale por uno o por los dos lados de la cavidad bucal. En español hay dos fonemas laterales: el alveolar /l/ y el palatal /λ/.

El alveolar /l/ presenta una distribución muy extensa. Aparece al inicio de palabra (*lado*), al final de palabra (*papel*), al inicio de sílaba interna de palabra entre dos vocales (*malo*), al inicio de sílaba entre consonante y vocal (*hablar*) y al final de sílaba interna de palabra (*alto*).

Cuando se encuentra en posición final de sílaba, las manifestaciones del fonema /l/ pueden ser las siguientes:

[l̪] (dental) si se encuentra delante de /t, d/:   *alto* [ál̪to], *falda* [fál̪da]
[l̪] (interdental) si aparece delante de /θ/:   *dulce* [dúl̪θe]
[l] (alveolar) en el resto de los casos: *palma* [pálma], *mil* [míl]

En la articulación del alófono básico y más frecuente de /l/, el alveolar [l], el ápice de la lengua se eleva para tocar el centro de la zona alveolar y el dorso está recto, como se observa en la figura 7.16. En cambio, en la articulación de la /l/ del inglés, figura 7.17, el dorso se dobla creando una concavidad debajo del paladar. Esto es lo que explica el tono más agudo de la /l/ del español y el timbre grave y velar de la /l/ inglesa.

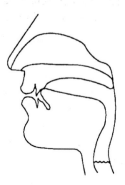

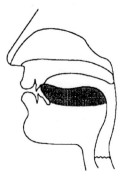

Figura 7.16   Figura 7.17
Esquema de [l] en español   Esquema de [l] en inglés

La lateral palatal /λ/, por su parte, se pronuncia elevando el predorso lingual hasta hacer contacto con el paladar. El aire sale por los lados.

130

Fonológicamente, su rendimiento es escaso. Solo aparece al inicio de sílaba, en el interior o al comienzo de la palabra (*llamar*, *calle*).

Es importante advertir que en el habla de la mayoría de los hispano-parlantes, el fonema /λ/ se ha confundido, o mejor, ha sido sustituido por el otro fonema palatal sonoro /ĵ/: *calle* se dice [káĵe]. Este fenómeno de igualación se llama *yeísmo* y tiene prestigio social tanto en España como en América. La distinción /λ/-/ĵ/ solo se mantiene en zonas del norte de España y en ciertas regiones de algunos países de América del Sur.

7.3.2.2 Vibrantes

Se denominan vibrantes las consonantes en cuya articulación el ápice de la lengua realiza uno o más movimientos para golpear los alvéolos.

Existen en español dos fonemas vibrantes, ambos alveolares. Uno es simple /r/ y el otro, múltiple /r̄/. Para la pronunciación de los dos, el ápice de la lengua debe elevarse para golpear la pared alveolar y realizar contra ella **un** movimiento en el caso de la simple /r/ y **varios** movimientos en el caso de la múltiple /r̄/. La diferencia entre las dos también se puede explicar por el grado de tensión articulatoria con que la lengua actúa: para la /r/ la lengua se mueve con menos tensión, está más floja, en tanto que para la /r̄/, lo hace con mayor energía y rigidez.

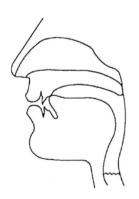

En la pronunciación espontánea, incluso de las personas cultas, la /r/ se relaja transformándose con frecuencia en una fricativa [ɹ]. A diferencia de la vibrante, esta variante fricativa es prolongable y se articula con un movimiento suave de la lengua. El ápice se acerca a los alvéolos, pero no llega a tocarlos con firmeza. Se produce en diferentes contextos: entre dos vocales [káɹa] *cara*, al fin de sílaba interna de palabra [káɹta] *carta*, al fin de la palabra [dolóɹ] *dolor*.

Figura 7.18
Esquema articulatorio de [r]

El único contexto donde los fonemas /r/ y /r̄/ se oponen es el intervocálico. Ejemplos: *caro* [káro], *carro* [kár̄o]; *pera* [péra], *perra* [pér̄a]. En el resto de las posiciones, la oposición no funciona, se neutraliza. Por ejemplo, al final de palabra, aunque la pronunciación normal y natural del término *comer* es [komér], con la simple, resulta irrelevante desde el punto de vista del significado pronunciar [kom\overline{e}r], con la múltiple.

El cuadro que se presenta a continuación ofrece la distribución de ambas vibrantes. Se puede notar, según se indicó, que el único contexto en que se oponen para diferenciar palabras es entre vocales. Sin embargo, a pesar de que en las demás posiciones se produce neutralización, en la pronunciación natural y ordinaria se prefiere o se selecciona una de las dos para cada contexto. Así, por ejemplo, al principio de palabra, lo natural y apropiado es la presencia de la múltiple: *rico* [r̄íko]. Si alguien dijera [ríko], con la simple, aunque se entendería igual, esa forma de pronunciación se reconocería como propia de un hablante extranjero o de un niño, por ejemplo. De modo paralelo ocurre al final de palabra, donde lo normal es la simple: *amor* [amór]. La presencia de la múltiple en ese contexto no cambiaría el sentido, pero se percibiría como enfática, rebuscada o inusual.

contexto	fonema vibrante		ejemplo
# ___ V		r̄	ropa
#C ___ V	r		trabajo
V ___ V	r	r̄	pero - perro
$C ___ V	r		libro
C$ ___ V		r̄	enredo
V ___ $C	r		carta
V ___ C$	r		perspicaz
V ___ #	r		amor

Cuadro 7.6 Distribución de las consonantes vibrantes

(límite inicial o final de palabra);   **$** (límite inicial o final de sílaba); **V** (vocal);   **C** (consonante);   ___ (lugar donde aparece el sonido).
Dos ejemplos:
___ **V** = la vibrante aparece al inicio de palabra seguida de vocal.
V ___ **$C** = la vibrante está al final de sílaba y seguida por consonante.

EJERCICIOS DEL CAPÍTULO VII

I.   Responda con **V** o **F**, según convenga. Cuando la respuesta sea **F**, señale la palabra (subrayándola o encerrándola) que debe ser cambiada o eliminada para convertir el enunciado en verdadero.

1.1 ___ Las consonantes oclusivas son *momentáneas* y las fricativas, por su parte, *continuas*.

1.2 ___ El *seseo*, fenómeno sin prestigio, consiste en sustituir el fonema interdental fricativo sordo /θ/ por el alveolar /s/.

1.3 ___ La clase de las consonantes no obstruyentes incluye a las oclusivas, las fricativas y las africadas.

1.4 ___ Los fonemas *fricativos* en español no forman pares opuestos entre sí por la sonoridad, como los oclusivos.

1.5 ___ El alófono oclusivo dental sonoro [d] aparece cuando el fonema /d/ está precedido por una pausa, una nasal o una /l/.

1.6 ___ Las oclusivas [t] y [d] del español son *dentales, no alveolares* como las del inglés.

1.7 ___ Las consonantes fricativas del español aparecen con mayor frecuencia al final que al principio de la sílaba.

1.8 ___ Se llama *aspiración* la pronunciación, extendida en muchos países, de la [s] final de sílaba como una fricativa faríngea [h].

1.9 ___ El sonido fricativo, bilabial, sonoro [β] se escribe siempre en la ortografía con la letra **b**.

1.10__ La pronunciación de la consonante vibrante múltiple /r̄/ requiere mayor tensión articulatoria que la de la simple /r/.

1.11__ El sonido [č] del español es sordo, africado y alveolar.

1.12__ Los fonemas /f, s, θ, x/ son fricativos, sonoros y orales.

II. Seleccione la mejor respuesta:

2.1 Durante la emisión de las consonantes nasales, el velo del paladar:
   a. desciende hacia la cavidad nasal
   b. se une a la pared faríngea
   c. no hace contacto con la pared faríngea
   d. se mantiene unido a la laringe

2.2 Las oclusivas sordas /p,t,k/ solo establecen oposición fonológica con sus correspondientes sonoras /b,d,g/ cuando aparecen:
   a. entre vocales
   b. al final de sílaba
   c. al inicio de sílaba
   d. entre consonante y vocal

2.3 Al pronunciar el primer sonido de la palabra lado el ápice lingual:
   a. hace contacto con los alvéolos
   b. se adhiere a los dientes
   c. se dobla hacia atrás
   d. no llega a tocar los alvéolos

2.4 Dos contextos donde aparece la vibrante /r̄/, pero no la /r/ son:
   a. al inicio de sílaba interna de palabra y al fin de palabra
   b. al final de sílaba y al principio de palabra
   c. al inicio de palabra y al inicio de sílaba después de alveolar
   d. entre consonante oclusiva y vocal

2.5 Una diferencia entre la /l/ final de palabra del inglés y la del español es que en la articulación de la española el:
   a. dorso de la lengua se dobla creando una concavidad
   b. ápice de la lengua no llega a hacer contacto con los alvéolos
   c. ápice de la lengua toca los alvéolos y el dorso está recto
   d. contacto con los alvéolos se realiza con el predorso lingual

2.6 Los rasgos *nasal* y *velar* describen el alófono [ŋ], que aparece en:
   a. ancho
   b. cantar
   c. cinco
   d. nueve

2.7 La vibrante múltiple /r̄/ del español se representa en la ortografía ordinaria con la letra **r** (ere) y no con **rr** (erre) cuando aparece:

   a. entre vocal y consonante nasal
   b. al inicio de palabra y en interior después de consonante alveolar
   c. al final de palabra y entre vocales
   d. al principio y en interior de palabra cuando le precede una vocal

2.8 Dentro del conjunto de los fonemas nasales y laterales en español, los
más rentables o utilizados son los:

   a. alveolares
   b. labiales
   c. palatales
   d. velares

2.9 Se llaman líquidas todas las consonantes:

   a. sonoras y orales
   b. laterales y vibrantes
   c. nasales y laterales
   d. orales y sordas

2.10 El fenómeno conocido como *yeísmo* consiste en la:

   a. distinción entre /ĵ/ y /λ/
   b. neutralización de /ĵ/ y /λ/ a favor de /ĵ/
   c. neutralización de /ĵ/ y /λ/ a favor de /λ/
   d. producción de /ĵ/ como africada sonora

III. Explique el sentido de esta afirmación: "Las nasales, cuando están en
posición final de sílaba, *son como Vicente, que va donde va la gente.*"

_____

_____

IV. Explique esta afirmación: *Los fonemas vibrantes del español no funcionan, no se oponen entre sí, cuando están en determinadas posiciones.*

_____

_____

V. Identifique el sonido representado por cada esquema articulatorio. La sonoridad se indica con una línea en zigzag a la altura de la laringe.

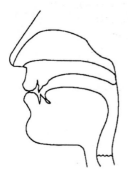

5.1   [β] [Ɵ] [δ] [b]

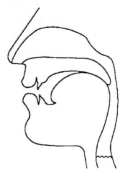

5.2   [g] [η] [k] [ɲ]

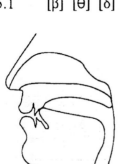

5.3   [d] [l] [ǰ] [s]

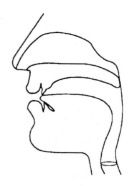

5.4   [s] [Ɵ] [δ] [f]

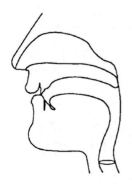

5.5   [ ]

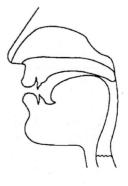

5.6   [ ]

136

VI. CRUCIGRAMA 7

HORIZONTALES:
1. Consonante que se pronuncia con un cierre total de la cavidad bucal.
5. Única posición en que funciona la oposición entre las vibrantes /r/ y /r̄/.
10. Consonante que se pronuncia dejando salir el aire por la nariz.
11. Número de fonemas consonánticos obstruyentes en español.
12. Según la acción de las cuerdas vocales, rasgo de la oclusiva /p/.
14. Término aplicado a /f/ y a /s/, por ejemplo, que equivale al de fricativa.
16. Modo de hablar muy bajo, en el que no hay vibración de las cuerdas vocales.
17. Fenómeno que consiste en pronunciar /ĵ/ en lugar de la lateral /λ/.
18. Rasgo que caracteriza a la única vibrante que puede comenzar palabra.

VERTICALES:
2. Rasgo que permite oponer entre sí a las oclusivas, pero no a las fricativas.
3. Característica de la obstruyente /č/, según el modo de articulación.
4. Rasgo distintivo que caracteriza de forma exclusiva al fonema /f/.
6. Clase que incluye a las consonantes oclusivas, fricativas y africadas.
7. Fenómeno que consiste en pronunciar la alveolar [s] como faríngea [h].
8. Única posición de la sílaba donde las oclusivas sonoras se oponen a las sordas.
9. Rasgo que, además de la sonoridad, distingue a /p,t,k/ de /b,d,g/.
13. Rasgo que identifica a las consonantes líquidas no vibrantes.
14. Número de fonemas consonánticos fricativos en español.
15. Fenómeno que consiste en pronunciar [s] en lugar de /θ/.

VII.   Lea en voz alta y transcriba los siguientes pares mínimos:

prisa / brisa: presa / fresa:

espera / esfera: capa / cama:

pierna / tierna: pino / chino:

vino / fino: alba / alma:

robar / rogar: marca / marcha:

trece / crece: apodo / apoyo:

mago / malo: sonar / soñar:

lecho / leño: carera / carrera:

caro / carro: coro / corro:

foro / forro: coral / corral:

mal / mar: flotar / frotar:

abril / abrir: alma / arma:

macho / mayo: ocho / hoyo:

siesta / fiesta: salta / falta:

lodo / yodo: cuerdo / cuerno:

palta / pasta: cartera / cantera:

son / sol: muchacho / mulato:

oral / orar: templar / temblar:

VIII.　Lea en voz alta y transcriba fonéticamente los textos siguientes:

8.A　Con diez cañones por banda,
viento en popa a toda vela,
no corta el mar, sino vuela,
un velero bergantín.
Bajel pirata que llaman
por su bravura el Temido
en todo mar conocido
del uno al otro confín.

　　　(José de Espronceda)

8.B　De médico, poeta y loco, todos tenemos un poco.

Más vale caer en gracia que ser gracioso.

Nadie se muere la víspera.

No por mucho madrugar amanece más temprano.

8.C
Ahorra ahora para que puedas pagar tu carrera más tarde.

Al final de la reunión, la mujer dejó sobre la mesa el papel.

Cuando tocaba la guitarra, marcaba el ritmo con los pies.

Sentado en el patio del hotel, comenzó a contar una historia infantil.

Corrían rumores de que la universidad cerraría la carrera de turismo.

El viento sacudía las ramas y llenaba el suelo de hojas secas.

¡Qué rápido corren los carros sobre los rieles del ferrocarril!

8.D
reptil, doctor, atmósfera, exacto, lectura, innato, inmenso, columna, inminente, canal, entonces, instrucción, adjetivo, adverbio, abstracto, calor, fácil, obstáculo, acción, conspirar, advertir, magnitud, indigno, absurdo, adopción, dosis, carácter, túnel, examen, tulipán.

Capítulo VIII

FONÉTICA COMBINATORIA

8.1 Preliminares

Al hablar, no se pronuncian los sonidos de manera aislada, separándolos por medio de pausas entre uno y otro. Al contrario, el hablante forma cadenas de segmentos que se unen estrechamente entre sí. Como resultado de esto, surgen modificaciones en la articulación de los sonidos, porque la contigüidad provoca que la pronunciación de unos afecte la de otros.

8.2 Procesos fonéticos

Los cambios que experimentan los sonidos al combinarse con otros para formar morfemas y palabras o cuando aparecen dentro de la cadena hablada reciben el nombre de *procesos fonéticos*.

Algunos procesos pueden ser llamados *cuantitativos*, porque consisten en un cambio que arroja como resultado un aumento o una reducción de la cantidad de los sonidos que componen una palabra. Estos cambios reciben nombres diferentes según el lugar de la palabra en que se realicen. A menudo, sin embargo, a los procesos de eliminación se les da el nombre genérico de *elisión*, sin importar la posición donde se produzcan.

aféresis: eliminación de uno o varios sonidos al principio de la palabra. Ejemplo: hermanito ➡ manito

síncopa: eliminación de uno o varios sonidos en el interior de la palabra. Ejemplo: natividad ➡ navidad

apócope: eliminación de uno o varios sonidos al final de la palabra. Ejemplo: bueno ➡ buen

prótesis: adición de uno o más sonidos al inicio de la palabra. Ejemplo: stress ➡ estrés

epéntesis: adición de uno o más sonidos en el interior de la palabra. Ejemplo: bisagra ➡ biságara

paragoge: adición de uno o más sonidos al final de la palabra. Ejemplo: fuiste ➡ fuistes

	aumento	eliminación
al inicio	**prótesis**	**aféresis**
en el interior	**epéntesis**	**síncopa**
al final	**paragoge**	**apócope**

Entre esos cambios cuantitativos, el más importante en español es la apócope. Además de su abundancia, sobre todo en el lenguaje familiar, en el que se dan casos como *na* por *nada*, *profe* por *profesor*, la apócope es un proceso muy activo que la lengua utiliza en algunos casos de manera obligatoria según la posición que ocupe la palabra en la cadena sintáctica. Piénsese en ejemplos como *Pasó un momento malo*, frente a *Pasó un mal momento*; *Juan es un santo*, frente a *Hoy se celebra la fiesta de san Juan*.

Otros procesos fonéticos no tienen el carácter cuantitativo señalado en los casos anteriores y, en cambio, podrían ser considerados cualitativos, en cuanto que generalmente implican un cambio en la naturaleza del sonido afectado. Entre estos procesos fonéticos se encuentran la *asimilación*, la *disimilación*, la *diptongación* y la *metátesis*. De todos ellos, el más frecuente e importante en español es la *asimilación*.

asimilación: cuando un sonido adquiere rasgos propios de otro y se hace, en consecuencia, más parecido o semejante al otro. Un ejemplo es la *sonorización* de la /s/ ante consonante sonora o el ajuste de la /n/ a la consonante siguiente.

Se distinguen tres tipos de asimilación según el lugar que ocupe el sonido afectado frente al productor de la acción:

a. *regresiva* (*anticipadora*): si el cambio se produce en el sonido colocado primero, influido por la articulación del siguiente. Ejemplos: *tango* [táŋgo]; *mismo* [míz̦mo]; *alto* [áḽto].
Es el tipo de asimilación más común, porque es económico y natural que los órganos articulatorios inicien su movimiento de preparación para el sonido siguiente incluso antes de haber completado la realización del sonido anterior.

144

b. *progresiva*: cuando el cambio afecta al sonido siguiente, como consecuencia de la pronunciación del precedente. Es poco común. Ejemplo: *palumba* [palóma] mb ➡ m

c. *recíproca (inversa)*: si la acción se realiza en doble sentido, es decir, el primer sonido afecta al segundo y viceversa.

Ejemplos: *falda* [fáḷda] (la /l/ provoca que la /d/ sea oclusiva y la /d/ convierte a la /l/ en dental)
Hispania ➡ España: ni ➡ ɲ
auro ➡ oro: au ➡ o

disimilación: cuando un sonido se hace diferente o menos parecido a otro que era igual o muy semejante.
Ejemplos: *árbor* ➡ árbol, *pasear* ➡ pasiar

Este proceso puede servir para evitar la repetición molesta de dos sonidos idénticos o para realizar un reajuste silábico de forma que un hiato (dos sílabas) se convierte en un diptongo (una sílaba).

diptongación: cuando una vocal se convierte en diptongo.
Ejemplos: *poder* ➡ puedo, *dental* ➡ diente

metátesis: cuando un sonido cambia su posición dentro de la palabra. Ejemplos: *inter* ➡ entre, *ojalá* ➡ ajolá

Una causa que explica a veces la ocurrencia de algunos de los procesos mencionados es la *analogía*, que consiste en el cambio mediante el cual la palabra acomoda su forma fonética a la de otra con la que guarda una relación muy estrecha, ya sea desde el punto de vista morfológico, léxico o semántico. De esa manera, se hace resaltar la semejanza o *analogía* real o supuesta que hay entre las dos palabras.

Un ejemplo de esto se encuentra en los nombres de los días de la semana. En latín se empleaba la palabra *dies* (día) seguida del nombre del planeta al que estaba dedicado:

dies Lunae (día de la Luna):   lunes
dies Martis (día de Marte):   martes
dies Mercurii (día de Mercurio): miércoles
dies Jovis (día de Júpiter):   jueves
dies Veneris (día de Venus):   viernes

Es fácil advertir que ni el primero ni el tercero (lunae, mercurii) te-

145

nían en latín una -s al final. En español la han añadido por la analogía con los demás nombres con los que forman una serie léxica muy compacta. En el caso de *mercurii* (con acento sobre la u) la semejanza con los otros nombres no solo se buscó con la s final, sino también colocando el acento sobre la primera sílaba de la palabra, donde lo llevan los otros cuatro. También tiene motivación analógica la /s/ que algunos hablantes colocan al final de las formas verbales de pretérito en la segunda persona singular: *llegastes*.

Otro fenómeno, relacionado con la analogía, es la *etimología popular*, que consiste en un cruce de palabras causado por un error de interpretación respecto de una de ellas. Los hablantes creen que entre ellas hay una relación etimológica y ajustan la forma fonética de la palabra nueva a la de otra ya conocida. Por esa razón la palabra *vagabundo* es pronunciada a veces *vagamundo*, al ser interpretada como "el que *vaga* por el *mundo*".

También ocurre a veces en el habla popular la *ultracorrección*, cuando el hablante interpreta como incorrecta una forma correcta y la sustituye por la forma que él considera normal. Así se explica, por ejemplo, en hablantes que tienen conciencia de que eliden la /s/ implosiva o la /d/ intervocálica, la aparición de formas como *yos*, por yo, o *bacalado*, por bacalao.

8.3 La sílaba

La unidad fonológica inmediatamente superior al fonema, formada por uno o varios, es la sílaba. Se podría decir que la sílaba es el esquema elemental en torno al cual se constituye todo agrupamiento de fonemas.

8.3.1 Naturaleza de la sílaba

Tradicionalmente se ha definido la sílaba como *la menor unidad de impulso espiratorio y muscular en que se divide el acto de hablar*. Durante la respiración normal, el aire espirado sale de manera continua; pero al hablar, sale en pequeños *soplos* o impulsos espiratorios que coinciden con unos movimientos o impulsos musculares de los órganos articulatorios. Al decir *casa*, por ejemplo, se realiza un impulso espiratorio y muscular, pero es posible dividir ese impulso mayor en una serie de impulsos menores que son como pequeñas descargas de aliento correspondientes a unos movimientos o explosiones de actividad muscular: *ca - sa*. Estas pequeñas unidades correspondientes a impulsos mínimos son las llamadas sílabas. A partir de estos impulsos mínimos, ya no es posible dividir el acto de habla o la voz de manera natural, en impulsos menores. Naturalmente, la sílaba puede dividirse en fonemas, pero un fonema solo no constituye necesariamente una unidad de impulso espiratorio, es decir, dentro de cada una de estas explosiones de aliento, pueden ser articulados dos, tres o más sonidos sucesivos.

Es oportuno señalar que desde el punto de vista sicológico, la sílaba es una unidad de la que los hablantes tienen conciencia. Intuitivamente, los hablantes, desde los niños hasta las personas sin instrucción, recurren a veces a la división en sílabas cuando quieren resaltar una idea o cuando repiten una palabra que ha sido percibida equivocadamente y quieren asegurarse de que sea entendida adecuadamente: *ma - ña - na*, *a - bue - lo*.

Fisiológicamente, la sílaba se puede definir como una unidad fonética caracterizada por una tensión creciente de los músculos articulatorios al principio y decreciente hacia el final.

Esta concepción es apoyada por un gran número de hechos fonéticos. Se sabe que las consonantes situadas al final de la sílaba se debilitan o desaparecen más fácilmente que las colocadas al principio. Basta pensar en el desgaste del fonema /s/ en amplias zonas cuando aparece al final y su conservación cuando inicia la sílaba. De esta forma, son frecuentes pronunciaciones como [éhto] o [éto] por *esto*, pero no [páho] ni [páo] por *paso*.

8.3.2   Estructura fonética de la sílaba

La estructura de la sílaba está compuesta de tres fases sucesivas:
1. una fase inicial, comúnmente llamada *explosiva*;
2. una fase central o culminante, llamada núcleo o cima, que es el eje y el sostén de la sílaba;
3. una fase final, denominada *implosiva*.

Gráficamente, se puede representar la estructura silábica en español de forma piramidal, como aparece a continuación. De manera escueta, vale decir que una sílaba no es más que un núcleo vocálico susceptible de ir acompañado por márgenes consonánticos.

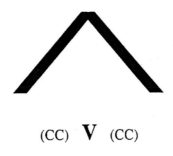

(CC) **V** (CC)

El núcleo es obligatorio, necesario, y está constituido siempre por una vocal. Los márgenes inicial y final son ambos posibles pero no necesarios, es decir, constituyen posiciones que pueden quedar desocupadas. Estas posiciones marginales, antes y después del núcleo, son las únicas donde pueden aparecer las consonantes. De las vocales, son posibles en ese contexto las cerradas o altas /i, u/, cuando se convierten en semiconsonantes o semivocales para formar diptongos y triptongos.

Cada margen silábico puede contener un máximo de dos consonantes. En tales casos, la segunda consonante es /r/ o /l/ en el margen prenuclear y /s/ en el postnuclear: *gra*-cias, ha-*blar*; *ins*-ta-lar, ex[*eks*]-ten-sión.

En ocasiones, los grupos de dos consonantes iniciales de sílaba se sitúan delante de diptongos crecientes, lo que da como resultado que aparezcan tres segmentos delante del núcleo: *prue-ba*, *clien-te*, *a-grio*.

Ejemplos de sílabas sin márgenes son O-Í-A, *oía*. Para ilustrar otros tipos de sílabas se presenta el análisis de las palabras *abstracto* y *fluvial*:

margen inicial (posición explosiva)	*NÚCLEO* V	*margen final* (posición implosiva)
	a	bs
tr	a	k
t	o	
fl	u	
bj	a	l

El fonema que funciona como núcleo silábico se distingue de los fonemas marginales porque presenta un grado mayor de abertura, de intensidad, de sonoridad y de perceptibilidad.

Por su parte, los fonemas que se agrupan alrededor del núcleo pueden ser caracterizados del modo siguiente:

1. Los que se sitúan en el margen inicial presentan:
   a. un aumento gradual de la intensidad desde un mínimo hasta un máximo en el núcleo.
   b. una abertura gradual de los órganos desde un mínimo hasta el máximo que caracteriza al núcleo.
   c. un aumento progresivo de la tensión muscular hasta alcanzar un máximo en el núcleo.

148

2. Los que se sitúan en el margen final se caracterizan por:
    a. una disminución progresiva de la intensidad.
    b. un cierre gradual de los órganos articulatorios.
    c. una disminución gradual de la tensión muscular.

8.3.3 Sílaba abierta y sílaba cerrada

Se llama abierta o libre la sílaba que termina en vocal; por ejemplo, ME-SA, CA-SA. La sílaba que termina en una o dos consonantes recibe el nombre de cerrada o trabada. Ejemplos: ÁR-BOL, TRANS-POR-TAR.

El español presenta un predominio notable de sílabas abiertas. Estas constituyen aproximadamente el 75%, frente a un 25% de cerradas.

Los tipos silábicos utilizados en español, en orden descendente de frecuencia, son los siguientes:

CV	:	**SI** - lla
CVC	:	**PAN** - talón
V	:	**A** - mor
CCV	:	**BLU** - sa
VC	:	**OL** - vidar
CCVC	:	**FRAN** - cia
VCC	:	**INS** - tituto
CVCC	:	**PERS** - pectiva
CCVCC	:	**TRANS** - porte

8.3.4 Ordenamiento de las consonantes en la sílaba

a. *En el margen silábico prenuclear*:
    ‣Cuando hay una sola consonante, puede ser cualquiera de ellas, salvo al principio de palabra, donde /r/ no puede aparecer.
    ‣Cuando aparecen dos consonantes:
        ‣La primera debe ser oclusiva /p,t,k,b,d,g/ o la fricativa /f/.
        ‣La segunda tiene que ser líquida /r, l/.
        ‣Si la primera es dental /t, d/, la segunda solo puede ser /r/.

b. *En el margen silábico posnuclear*:
    ‣Cuando aparece una consonante, no puede ser palatal č, ɲ, ĵ, ʎ ni tampoco la velar /x/ (salvo al final de palabra donde aparece x en la palabra *reloj*). La f es muy rara en esta posición.

149

Al final de la palabra, las más frecuentes son: /s, r, l, n, θ, d/.
▸Cuando aparecen dos consonantes:
  ▸La segunda debe ser /s/ (salvo en algún caso, como *istmo*).
  ▸Al final de palabra no aparecen grupos de dos, excepto en algunos casos muy contados: *tórax* [tóraks], *bíceps*.

8.3.5 División silábica

Para dividir en sílabas una secuencia de fonemas españoles, hay que tener en cuenta lo siguiente:

Vocales:

1. Dos vocales no altas que aparecen consecutivamente forman un hiato, es decir, constituyen dos sílabas diferentes: *po-e-ta, re-al*.
2. El encuentro de una vocal no alta inacentuada con una alta acentuada constituye también un hiato, dos sílabas: *pa-ís, ba-úl, dú-o, trí-o*.
3. Las vocales que forman diptongo o triptongo pertenecen a una sola sílaba: *bai-le, tiem-po, bue-no, buey*.

Consonantes:

1. Una sola consonante colocada entre dos vocales forma sílaba siempre con la vocal siguiente: *fo-né-ti-ca, sí-la-ba*.
2. Dos consonantes que se encuentran entre dos vocales se distribuyen de forma que la primera constituye el final de la sílaba anterior, y la segunda funciona como margen prenuclear de la sílaba siguiente: *ar-tis-ta, ver-de, cal-man-te*. La generalización anterior no se aplica a los grupos de dos consonantes formados por oclusiva o /f/ seguida de líquida /l/ o /r/: /pr, pl, br, bl, fr, fl, gr, gl, kr, kl, tr, dr/, ya que funcionan siempre como margen inicial de sílaba: *o-bre-ro, a-cla-mar*.
3. Si son tres las consonantes situadas entre dos vocales, las dos primeras se agrupan silábicamente con la vocal anterior y la tercera, con la vocal siguiente, a no ser que dos de las consonantes formen un grupo inseparable de los enumerados antes: *ins-ta-lar, pers-pec-ti-va; com-prar, des-truc-ción*.
4. Cuando entre dos vocales concurren cuatro consonantes, las primeras dos constituyen el margen post-nuclear de la sílaba anterior y las otras dos sirven de inicio a la sílaba siguiente: *ins-tru-men-to, obs-truc-ción*.

Como se puede observar, la delimitación silábica se realiza casi siempre en el interior de una palabra. Ello es debido al hecho de que toda palabra está constituida por una o más sílabas. La palabra incluye sílabas, pero no se puede afirmar lo mismo con respecto al morfema (la unidad mínima de sentido): los límites silábicos no suelen coincidir con los de morfema ni a la inversa. Esa falta de correspondencia se revela al confrontar las sílabas y los morfemas que componen la palabra *muchachitos*, por ejemplo:

sílabas: mu + cha + chi + tos
morfemas: muchach + it + o + s

8.4 Palabra - grupo tónico

Así como los fonemas se combinan para formar las sílabas, estas, a su vez, se agrupan para formar las palabras. Por tanto, el número de sílabas diferentes de una lengua es siempre un pequeño submúltiplo del número de palabras, del mismo modo que el número de fonemas es un submúltiplo del número de sílabas y el número de rasgos distintivos, un submúltiplo del número de fonemas.

Ahora bien, las sílabas pueden ser definidas y delimitadas dentro de la cadena hablada con criterios estrictamente fonéticos, pero las palabras no. De esta manera, una persona que conoce la estructura de la sílaba en español puede descubrir de manera segura e inequívoca los límites de sílaba incluso en una palabra desconocida. Por ejemplo, alguien que ignore el sentido de la palabra *intersticio* puede, a pesar de ello, determinar que la división tiene que ser hecha de esta forma: in - ters - ti - cio, porque son imposibles sílabas como *-int- o *-sti-. El primer caso está mal formado porque cuando hay dos consonantes finales, la segunda tiene que ser /s/; el último tampoco es aceptable porque en el margen inicial solo son posibles grupos de dos consonantes si la primera es oclusiva o /f/ y la siguiente es /l/ o /r/.

Sin embargo, si una persona pronuncia la cadena [lasálas], resulta imposible para un oyente saber con criterio exclusivamente fonético si las palabras que forman esa secuencia son *las alas*, *las salas* o *la salas*. Se hace necesario recurrir al sentido, a través del contexto sintáctico o semántico, para poder descubrir los límites entre una palabra y otra.

Asimismo, cualquier hablante de español que oye una secuencia como [eléčo], no sabe si se trata de una o de dos palabras, *helecho* o *el hecho*, hasta que no descubre su contenido o el contexto oracional donde aparece.

151

Lo mismo sucede con [lasáβes], que podría ser tanto *la sabes* como *las aves*; [eláðo], válido para *helado* y *el hado*; [laβeníða], forma fonética correspondiente a *la avenida* y *la venida*.

El español, como todas las lenguas románicas, se caracteriza por el estrecho enlace de sus palabras en la cadena hablada. De ahí que en muchos casos una palabra se une con otra siguiente, formando una nueva entidad fonética en cuyo interior desaparecen los límites de las palabras. De este modo, las fronteras de palabra dejan de coincidir con las de sílaba. Es el caso de enunciados como *las orejas*, *los ojos*, que se pronuncian aglutinados: *lasorejas*, *losojos*, y cuyas sílabas son: la-so-re-jas, lo-so-jos. Esta unión es tan íntima que en determinadas circunstancias, como en el habla infantil, la /s/ final del artículo es interpretada como inicial del sustantivo siguiente, lo que explica la aparición de expresiones como *un sojo*, por *un ojo*; *suña de gato*, por *uña de gato*; o la forma ultracorrecta *eja* por *ceja*.

Esos datos permiten afirmar que *la palabra no es una unidad fonética*. La unidad fonética inmediatamente superior a la sílaba es el *grupo tónico*, que contiene un conjunto de sonidos que se pronuncian sometidos o dependientes de un mismo acento. Puede consistir en una o en varias sílabas, como también puede estar formado por una o varias palabras. Valdría decir que el grupo tónico es una secuencia fonética que gira alrededor de, o que está subordinada a una sílaba acentuada. Una oración como *Les habló a los estudiantes sobre el examen*, consta de tres grupos tónicos:
[lesaβló] - [alosestuðjáṇtes] - [soβreleksámẽn].

Las sílabas colocadas antes de la acentuada se llaman *protónicas* y las que se encuentran después, *postónicas*.

Pronunciada de manera aislada, cualquier palabra podría ser un grupo tónico. Pero en la mayoría de las situaciones, en que se pronuncian secuencias superiores, el grupo tónico está formado por varias palabras. Algunas categorías léxicas, los *verbos*, los *sustantivos*, los *adjetivos*, los *adverbios* y *ciertos pronombres*, constituyen el eje en torno al cual se construye el grupo tónico. Los otros tipos de palabras, el *artículo*, el *pronombre átono*, el *adjetivo posesivo antepuesto*, la *preposición*, la *conjunción*, se agrupan de manera obligatoria con las primeras para formar el grupo, porque al ser átonas, no tienen autonomía fonética y necesitan la ayuda de una palabra acentuada para construir con ella una auténtica unidad de pronunciación. Ejemplos:
la vida, nuestro amigo, con su dinero, para comer, me lo dijo,
por ella, a los mejores, se nos fue, porque sí, a las cuatro.

152

La unidad fonética superior al grupo tónico es el *grupo fónico*, que se estudiará con más detalles al tratar de la entonación. Por el momento, basta saber que un grupo fónico es toda secuencia de sonidos pronunciada entre momentos de silencio, es decir, que comienza después de una pausa y termina antes de otra pausa. Puede constar de uno o de varios grupos tónicos.

8.5 Sinalefa

La integración o fusión entre el sonido final de una palabra y el inicial de la siguiente es una característica muy importante de la pronunciación española. Por eso es tan abundante en el habla la *sinalefa*, que consiste en pronunciar en una sola sílaba, vocales que entran en contacto al combinarse una palabra con otra dentro de la frase. Algunos ejemplos son:

mi amigo [mjamíɣo], *lo ama* [lo̯áma], *vino a estudiar* [bíno̯a̯estuðjár].

Las posibilidades de combinaciones vocálicas que resultan en sinalefa son muy diversas. Aunque lo más frecuente es el encuentro de dos vocales, el enlace fonético puede producirse entre tres, cuatro y hasta cinco vocales, como en [bíno̯a̯estuðjár] o en *salió a esperarlo* [saljó̯a̯esperárlo].

Si la sinalefa se realiza entre dos vocales solamente, estas pueden ser de diferente o de igual abertura, acentuadas o inacentuadas. Algunos ejemplos son:

mi amor	[mjamór]
sonido agudo	[soníðo̯a̯ɣúðo]
hablé a tiempo	[aβléa̯tjémpo]
no entiendes	[nó̯eṇtjéṇdes]
hombre injusto	[ómbrei̯ŋxústo]
la utopía	[lau̯topía]

A veces sucede que las dos vocales que concurren son homólogas o iguales. En estos casos, lo común en el habla espontánea es que las dos se fusionen y se pronuncien como una sola vocal, como sucede con la preposición *de* y el artículo *el*, que se manifiesta incluso ortográficamente: *del*. Ejemplos: *casi imposible* [kásimposíβle], *la amiga* [lamíɣa].

Hay que observar, sin embargo, que el acento puede crear un efecto importante. Si la segunda vocal es inacentuada, independientemente de cómo sea la primera, entonces el resultado regular es una sola vocal normal.

153

Ejemplos:
carta abierta   [kártaβjérta]
está alegre   [estáléɣre]
gente educada   [xéŋteðukáða]

Pero si la segunda vocal es acentuada, es frecuente que la solución sea una vocal larga, prolongada, especialmente en estilos formales, cuando la pronunciación es más lenta. Por ese motivo se explica que cuando se encuentran la preposición *de* y el pronombre *él*, no se produce la contracción.
Ejemplos:
mi hijo   [mí:xo]
ganó otro   [ganó:tro]
niña alta   [níɲá:]ta]
la agria naranja   [lá:ɣrjanaráŋxa]

Con relación a este fenómeno, parece oportuno señalar el caso de los sustantivos femeninos comenzados con /á/ acentuada que, como se sabe, no admiten la anteposición del artículo *la*, y requieren la forma *el*. De manera que lo correcto es *el águila, el alma, el habla, el área*. No se trata de que, como se ha dicho a veces, se utilice el artículo masculino por razón de eufonía, para evitar el encuentro de dos /a/. En estos casos, *el* es una forma del artículo femenino que, igual que *la*, deriva del antiguo *ela*, del latín *illa*: *ela agua*.
También se ha generalizado el uso de la forma correspondiente al masculino con el artículo indefinido: *un alma, un arpa*.

Cuando entre el artículo y el sustantivo aparece otra palabra, se usa la forma habitual del artículo femenino: *la negra águila, la gran área*.
Conviene recordar, además, que la práctica de usar la forma *el* del artículo delante de /á/ tónica no se aplica a los siguientes casos:

a. los nombres de las letras del alfabeto: *la a, la hache*.
b. los sustantivos que solo distinguen el género por medio del artículo: *la árabe* frente a *el árabe*.
c. los adjetivos: *la árida llanura, la alta montaña*.

Por otra parte, se considera incorrecto el uso de la forma masculina de los demostrativos delante de sustantivos que comienzan con /á/ tónica: *este agua, aquel área*, en lugar de los regulares *esta agua, aquella área*.

154

Cuando el fenómeno de la sinalefa envuelve más de dos sonidos, puede incluir, entre otras combinaciones, vocales de abertura distinta [eau, iao], dos de igual abertura con otra u otras más o menos cerradas [ioe, oae, ioae, ioau] e incluso vocales iguales [aaa].

Algunos ejemplos de combinaciones de tres o más vocales que forman sinalefa son los siguientes:

/eau/:	*de Aurora*:	[dea̯uróra]
/eao/:	*quiere a otro*:	[kjérea̯ótro]
/eai/:	*hombre haitiano*:	[ómbrea̯i̯tjáno]
/iea/:	*nadie atiende*:	[naðjea̯tjéɲde]
/oao/:	*debo ahorrar*:	[déβo̯a̯o‾rár]
/uao/:	*lengua olvidada*:	[léŋgwa̯o̯lβiðáða]
/ioau/:	*cambio automático*:	[kámbjo̯a̯u̯tomátiko]
/iaau/:	*justicia auténtica*:	[xustísja̯u̯téɲtika]
/ioai/:	*escribió a Isabel*:	[eskriβjó̯a̯i̯saβél]
/ioaeu/:	*envidio a Eugenia*:	[embíðjo̯a̯e̯u̯xénja]

La condición que favorece la realización de la sinalefa en estos casos donde concurren tres o más vocales, es que no haya una vocal más cerrada en medio de otras más abiertas, como sería el ejemplo de *habla y escribe*, en el que se encuentran [a i e]. Esta secuencia vocálica no suele ser pronunciada en una sola sílaba porque existe una frontera natural delante de la vocal más cerrada. La división silábica del ejemplo anterior es: [á - βla - jes - krí - βe]. Esto es así a causa de la estructura piramidal de la sílaba, descrita anteriormente, que sigue una progresión de menor a mayor abertura antes del centro y de mayor a menor después del centro.

A continuación se presentan algunos ejemplos de esas combinaciones de vocales que aunque es cierto que no impiden la formación de la sinalefa, tampoco la facilitan:

/a e i/:	*rica e inteligente*
/u i a/:	*fui a verte*
/a u i/:	*la huida*
/a o a/:	*canta o habla*
/e u i e/:	*Abréu y Estévez*

8.6 Consonantes homólogas

A menudo aparecen en la secuencia fonética dos consonantes iguales, *homólogas*, una que termina una palabra y la otra que inicia la siguiente. Los casos más comunes en español incluyen a las obstruyentes /s/ y /d/, y a las no obstruyentes /n/ y /l/.

En resumen, se puede afirmar que:

A. el encuentro de dos consonantes homólogas *obstruyentes* da como resultado la pronunciación de *una sola consonante* normal.

/s/ + /s/ = [s]   *las salas* [lasálas]
                      tres sillas [trésíĵas]

/d/ + /d/ = [ð]   *usted dirá* [ustéðirá]
                      ciudad de México [sjuðáðeméxiko]

También podría mencionarse la concurrencia de la /θ/, pero tales contextos son menos comunes. Ejemplo: *diez zapatos* [djéθapátos]

B. la combinación de dos consonantes homólogas *no obstruyentes* por lo común se pronuncia como *una consonante larga*.

/n/ + /n/ = [n:]   *un nombre* [ún:ómbre], que se distingue de
                      un hombre [únómbre]

/l/ + /l/ = [l:]   *el lado* [el:áðo], que se distingue de
                      helado [eláðo]

El encuentro de dos consonantes vibrantes no constituye en rigor un caso de concurrencia de sonidos homólogos, porque la primera es la simple /r/ y la segunda, la múltiple /r̄/. La vibrante simple termina, pero no comienza palabra, y la vibrante múltiple comienza, pero normalmente no aparece al final de palabra. En todo caso, cuando se juntan la vibrante simple y la múltiple en contextos como *Mar Rojo* y *mujer rica*, la múltiple absorbe a la simple y el resultado ordinario es la pronunciación de una múltiple: [már̄óxo], [muxér̄íka].

EJERCICIOS DEL CAPÍTULO VIII

I. Junto a cada pareja escriba el número correspondiente al proceso fonético ejemplificado:

1.asimilación regresiva, 2.aféresis, 3.síncopa, 4.diptongación, 5.epéntesis, 6.asimilación recíproca, 7.prótesis, 8.paragoge, 9.metátesis, 10.disimilación, 11.apócope.

1.a spaghetti ⇨ espagueti: _____   1.k grande ⇨ gran: _____

1.b isla ⇨ [íşla]: _____   1.l un beso ⇨ [umbéso]: _____

1.c llegaste ⇨ llegastes: _____   1.m tauro ⇨ toro: _____

1.d primero ⇨ primer: _____   1.n ojalá ⇨ ajolá: _____

1.e siéntense ⇨ siéntesen: _____   1.ñ contar ⇨ cuento: _____

1.f profesor ⇨ profe: _____   1.o tua ⇨ tuya: _____

1.g basurero ⇨ basudero: _____   1.p estaba ⇨ taba: _____

1.h tropezón ⇨ trompezón: _____   1.q senior(e) ⇨ señor: _____

1.i estómago ⇨ estógamo: _____   1.r entrar ⇨ dentrar: _____

1.j cansado ⇨ cansao: _____   1.s laborar ⇨ labrar: _____

II. En cada caso, seleccione la mejor respuesta:

2.1 La palabra *fruticultura* contiene los esquemas silábicos:
   a. CVC + CCVC + CV + CV + CV
   b. CCV + CVC + VC + CV + CV
   c. CCV + CV + CVC + CV + CV
   d. CVCC + CVC + CVC + V + CV

2.2 En la oración *El profesor les pidió que se sentaran*, los grupos tónicos son:
   a. [elprofesórlespiðjó] - [kese] - [seņtáran]
   b. [elprofesór] - [lespiðjókeseseņtáran]
   c. [elprofesór] - [lespiðjó] - [keseseņtáran]
   d. [elprofesór] - [lespiðjóke] - [seseņtáran]

2.3 Las sílabas que terminan con consonante se llaman:
a. llanas
b. abiertas
c. cerradas
d. agudas

2.4 Cuando en el margen inicial de la sílaba aparecen dos consonantes, la segunda tiene que ser:
a. fricativa s
b. nasal n
c. líquida l o r
d. sonora d

2.5 La presencia consecutiva de dos vocales no altas en el interior de una palabra constituye:
a. una sinalefa
b. un diptongo
c. una sinéresis
d. un hiato

2.6 Fonéticamente considerado, el verso *viento en popa a toda vela* contiene las siguientes sílabas:
a. [bjéṇ+to̯em+pó+pa+a+tó+δa+βé+la]
b. [bjéṇ+to+em+pó+pa+tó+δa+βé+la]
c. [bjéṇ+to̯em+pó+pa+tó+δa+βé+la]
d. [bi+éṇ+to̯em+pó+pa+tó+δa+βé+la]

2.7 Cuando concurren dos vocales homólogas, como en *Está aquí*, la primera tónica y la segunda átona, la pronunciación normal es así:
a. dos vocales normales: [estáakí]
b. una vocal larga: [está:kí]
c. una sola vocal normal: [estákí]
d. una vocal inacentuada larga: [esta:kí]

2.8 La palabra *astringente* contiene los siguientes esquemas silábicos:
a. VCC + CVC +CVC + CV
b. VC + CCVC + CVCC + CV
c. VC + CCVCC + VC + CV
d. VC + CCVC + CVC + CV

2.9 En *A quien madruga, Dios lo ayuda*, los grupos tónicos son:
   a. cinco
   b. cuatro
   c. tres
   d. dos

2.10 Si una sílaba termina con dos consonantes, la segunda debe ser:
   a. [l]
   b. [n]
   c. [r]
   d. [s]

2.11 Cuando una palabra termina con l y la siguiente comienza también con l, como en *el loro*, la pronunciación preferente es:
   a. dos eles normales   [ellóro]
   b. una ele normal   [elóro]
   c. una ele palatalizada   [eλóro]
   d. una ele larga   [el:óro]

2.12 La fase final de la sílaba se caracteriza por un:
   a. aumento de la sonoridad
   b. aumento de la abertura de los órganos
   c. descenso de la oralidad
   d. descenso de la tensión articulatoria

2.13 En *Los alumnos hablaban sin parar*, los grupos tónicos son:
   a. [losalúmnos] - [aβláβan] - [sin] - [parár]
   b. [losalúmnosaβláβan] - [simparár]
   c. [losalúmnos] - [aβláβan] - [simparár]
   d. [los] - [alúmnos] - [aβláβan] - [simparár]

III. Explique por qué en español la /s/ inicial en *silla* se mantiene sorda delante de la /i/ (que es sonora), pero la /s/ de *mismo* se sonoriza [s̬] delante de la /m/ (que es consonante sonora).

_____

_____

_____

IV. Divida en sílabas las siguientes palabras:

4.1. taciturno: _____   4.5. obstruyente: _____

4.2. rutilante: _____   4.6. obcecado: _____

4.3. ingrávido: _____   4.7. abstemio: _____

4.4. estertor: _____   4.8. dispendio: _____

V. De acuerdo con la estructura de la sílaba, diga cuáles de las siguientes formas son palabras posibles (P) y cuáles, imposibles (I) en español:

5.1. abnterpesa: P   I   5.4. insplacatel: P   I

5.2. corsclema: P   I   5.5. fluctrísonla: P   I

5.3. dlabenco: P   I   5.6. prasmeyón: P   I

VI. Lea en voz alta y luego transcriba fonéticamente estos ejemplos:

6.1. *noticia alegre*:   6.5. *silencio elocuente*:

6.2. *dos sonidos:*   6.6. *mi auto*:

6.3. *aquel lugar*:   6.7. *niño europeo*:

6.4. *sello auténtico:*   6.8. *son nueve*:

6.9.   *Se entró de tarde en el río:*

    La sacó muerta el doctor:

    Dicen que murió de frío:

    Yo sé que murió de amor:

6.10.   *El ojo del amo engorda el caballo.*

    No hay peor sordo que el que no quiere oír.

VII.   CRUCIGRAMA   8

VERTICALES:
1.   Unidad superior al fonema pronunciada en un impulso espiratorio mínimo.
2.   Nombre de la sílaba que termina con consonante.
3.   Cambio que hace a un sonido más parecido a otro.
5.   Eliminación de uno o más sonidos al final de la palabra.
7.   Parte de la sílaba caracterizada por disminución de la abertura y la tensión.
8.   Unión en una sílaba de la vocal final de una palabra y la inicial de la otra.
9.   Tipo se asimilación en la que un sonido es influido por el siguiente.
11.   Aumento de uno o más sonidos al principio de la palabra.

HORIZONTALES:
3.   Cambio fonético en una palabra causado por su semejanza con otra.
4.   Unidad formada por una o más sílabas, pero no definible fonéticamente.
6.   Cambio de posición de los sonidos en la palabra.
8.   Pérdida de uno o más sonidos en el interior de la palabra.
10.   Nombre dado a la sílaba que termina con vocal.
12.   Nombre que se da a la posición final de la sílaba.
13.   Parte central y esencial de la sílaba.
14.   Fenómeno consistente en añadir uno o más sonidos en el interior de la palabra.
15.   Término aplicado a consonantes iguales que concurren dentro de la oración.
16.   Modificación producida en un sonido al entrar en contacto con otro.

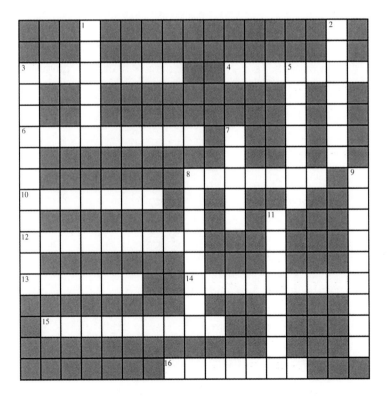

161

VIII.   Lea en voz alta y transcriba fonéticamente los siguientes textos:

8.A   Al pronunciar los sonidos del lenguaje, el hombre tiene tendencia a obtener el máximo de efecto con el mínimo de esfuerzo. Es la razón por la cual, combinando los sonidos, se trata de ahorrar todo lo posible los movimientos articulatorios que no sean absolutamente indispensables para el efecto acústico buscado. Si, por ejemplo, se debe pronunciar una p seguida de una t (*apto*), no se pronuncia normalmente la p de un manera completa, con una oclusión seguida de una explosión. Sería un trabajo superfluo abrir primero el pasaje del aire para cerrarlo después al pronunciar la t, cuyo modo de articulación es el mismo. Se conserva el contacto de los labios (para la p) y mientras estos permanecen cerrados, la lengua forma la oclusión de la t sin dar tiempo a que se produzca la explosión de la p. De esta manera se ahorra el movimiento articulatorio de apertura de la p.
(Fragmento de *La fonética*, de Bertil Malmberg)

8.B   Ha venido el cansancio infinito
a clavarse en mis ojos, al fin;
el cansancio del día que muere
y el del alba que debe venir;
¡el cansancio del cielo de estaño
y el cansancio del cielo de añil!
Ahora suelto la mártir sandalia
y las trenzas pidiendo dormir.
Y perdida en la noche levanto
el clamor aprendido de Ti:
Padre nuestro que estás en los cielos,
¿Por qué te has olvidado de mí?

(Fragmento de *Nocturno*, de Gabriela Mistral)

Capítulo IX

EL ACENTO Y LA ENTONACIÓN

9.1 El acento

El estudio del acento supone la delimitación en la cadena hablada de dos tipos de segmentos, ambos normalmente más extensos que el fonema:

1. la *unidad acentuable*, compuesta por los segmentos sobre los cuales se realiza o se puede realizar el acento. En español, como en muchas otras lenguas, esta unidad es la sílaba.

2. la *unidad acentual*: la secuencia de segmentos en el interior de la cual se realiza el contraste entre sílaba acentuada y sílabas sin acento.

    En español, esta unidad coincide a veces con la palabra. Por ejemplo, en la oración *Quiero beber agua*, hay tres acentos y tres palabras. Sin embargo, en otros casos la unidad acentual rebasa los límites de la palabra. Así, en la oración *Los hijos de mi vecino se fueron de vacaciones*, a nueve palabras corresponden solo cuatro sílabas acentuadas, distribuidas en sus respectivas unidades acentuales:
    [losíxos] - [δemiβesíno] - [sefwéron] - [δeβakasjónes]
    La unidad acentual equivale al *grupo tónico*, que según fue señalado antes, se compone de un conjunto de sonidos que se pronuncian subordinados a un mismo acento.

Toda palabra de dos o más sílabas pronunciada de manera aislada presenta una sílaba con una carga acentual superior a la de las demás. Sin embargo, dentro de la oración existen palabras carentes de sílaba tónica que, consecuentemente, solo pueden constituir una unidad acentual enlazadas a otras palabras portadoras de acento. Esas palabras inacentuadas o átonas se llaman *proclíticas* si se apoyan sobre la palabra siguiente, y *enclíticas* si se agrupan con la precedente.

Las ideas anteriores permiten definir el acento como un elemento fonético que destaca o pone de relieve una sílaba (unidad acentuable) en el interior de una palabra o construcción mayor (unidad acentual).

9.1.1 Palabras inacentuadas y palabras acentuadas

Las palabras sin acento, que dentro de la cadena nunca coinciden con la unidad acentual, y deben apoyarse en otra palabra, son las siguientes:

1. el artículo determinado
   Ejemplos: *el* hombre [elómbre], *la* camisa [lakamísa]
   El artículo indeterminado se acentúa: *una* camisa [únakamísa]

2. la preposición
   Ejemplos: *por* amor [poramór], *desde* aquí [de̞s̬ð̞e̞akí]

3. la conjunción
   Ejemplos: perro *y* gato [pé̞r̄o̞i̞γáto], *porque* sí [porkesí]

4. el primer elemento de los numerales compuestos
   Ejemplo: *siete* mil [sjetemíl]

5. los pronombres átonos
   Ejemplos: *se lo* dije [selo̞ð̞íxe], *la* quiere [lakjére]

6. los adjetivos posesivos antepuestos al sustantivo
   Ejemplos: *tu* amigo [twamíγo], *nuestro* amor [nwestro̞amór]

Estas palabras que en condiciones normales son inacentuadas, pueden pronunciarse a veces con acento para resaltar una idea o por la razón que sea. Ejemplo: *Son MÍS amigos, no los tuyos.* Lo mismo puede ocurrir dentro de una palabra con acento, en la que se destaca una sílaba distinta a la tónica: *Estudia en la Úniversidad.* Este acento suele llamarse *enfático.*

Las palabras españolas que normalmente llevan una sílaba tónica y, por tanto, pueden constituir el eje de la unidad acentual, son las siguientes:

1. el sustantivo
   Ejemplo: nuestra *casa* [nwestrakása]

2. el adjetivo
   Ejemplo: la *mejor* [lamexór]

3. el pronombre tónico
   Ejemplo: para *mí* [paramí]

4. el verbo
   Ejemplo: te *fuiste* [tefwíste]

5. el adverbio
   Ejemplo: por *aquí* [porakí]

6. los numerales
   Ejemplo: los *cuatro* [loskwátro]

Hay que tomar en cuenta, sin embargo, que en los numerales compuestos, el primer elemento es átono, tal como fue indicado anteriormente: *nueve* mil [nweβemíl]. Del mismo modo, otras formas nominales pueden perder su acento si se unen estrechamente a otra palabra. Entre estas, cabe mencionar las formas de tratamiento ante el sustantivo al que modifican (*Don* Pedro, *señor* Gutiérrez, *tío* Juan) y el primer nombre en denominaciones compuestas (*Orlando* Antonio, *María* Teresa, *José* Francisco).

Por otra parte, existen en español formas fonéticas que se pronuncian con o sin acento según la función gramatical que desempeñen:

Átonas		*Tónicas*	
de	(preposición)	dé	(verbo)
el	(artículo)	él	(pronombre)
mas	(conjunción)	más	(adverbio)
mi	(adjetivo)	mí	(pronombre)
se	(pronombre)	sé	(verbo)
si	(conjunción)	sí	(adverbio y pronombre)
te	(pronombre)	té	(sustantivo)
tu	(adjetivo)	tú	(pronombre)
luego	(conjunción)	luego	(adverbio)
menos	(conjunción)	menos	(adverbio)
sino	(conjunción)	si no	(conjunción y adverbio)
que	(relativo)	qué	(interrogativo-admirativo)
quien	(relativo)	quién	(interrogativo-admirativo)
cuando	(relativo)	cuándo	(interrogativo-admirativo)
cuanto	(relativo)	cuánto	(interrogativo-admirativo)
donde	(relativo)	dónde	(interrogativo-admirativo)
como	(relativo)	cómo	(interrogativo-admirativo)
cual	(relativo)	cuál	(interrogativo-admirativo)

Ejemplos: *El que ama el peligro, en él perecerá. Dile que te dé un poco de té. Cuando sepas cómo se hace, no dejes de llamarme.*

También se da el caso de palabras que tienen doble acentuación: una es preferida en unos lugares y otra en otros. Algunos ejemplos son: *austriaco/austríaco, cardiaco/cardíaco, chófer/chofer, dinamo/dínamo, ibero/íbero, olimpiada/olimpíada, omoplato/omóplato, policiaco/policíaco*.

En conclusión, solo las palabras acentuadas pueden constituir por sí solas una unidad acentual. Ejemplo: *Vendrá mañana* [beṇdrá] [mãɲána]. Las inacentuadas se apoyan en una palabra con acento y unidas a ella forman la unidad acentual. Ejemplo: *Se lo* advirtió [selo̯aðβirtjó].

9.1.2   Naturaleza del acento español

El contraste entre sílaba acentuada y sílabas inacentuadas se produce y se percibe por medio de los parámetros fonéticos de la duración, el tono y la intensidad combinados de modo especial en cada lengua.

Tradicionalmente muchos han considerado que de esos parámetros, el primer responsable del acento español es la intensidad. Sin embargo, distintas investigaciones instrumentales realizadas de forma separada por varios autores han demostrado que el tono es la clave o el factor principal del acento español. La duración desempeña un papel secundario, aunque más importante que el de la intensidad. Según esto, se justifica plenamente desde el punto de vista fonético el empleo del término *tónica*, aplicado a una sílaba como sinónimo de *acentuada*.

9.1.3   Tipología acentual

Existen lenguas en las que el acento recae siempre sobre una determinada sílaba de la palabra o unidad acentual. Se trata de las lenguas de acento fijo. En otras lenguas, llamadas de acento libre, este puede situarse en distintas posiciones dentro de la unidad acentual.

Lenguas de *acento fijo*:
1. acento sobre la última sílaba: francés y turco
2. acento sobre la penúltima sílaba: polaco
3. acento sobre la antepenúltima sílaba: macedonio
4. acento sobre la primera sílaba: checo, finés, islandés

Lenguas de *acento libre*:
   alemán, ruso, inglés, italiano, español, portugués, etc.

En sentido estricto, una lengua de acento libre debe ofrecer tantas posibilidades de colocación del acento cuantas sílabas tenga la palabra: dos posibilidades en los bisílabos, tres en los trisílabos y así sucesivamente. De acuerdo con esto se debe precisar que el español es más bien una lengua con acento de libertad limitada. Es decir, la posición del acento español solo es libre dentro de una *zona acentuable* que se circunscribe a las tres últimas sílabas de la palabra.

De esta manera, pueden contrastar palabras como *dePÓsito, depoSIto, deposiTÓ; esTÍmulo, estiMUlo, estimuLÓ*. Pero no es posible un contraste entre *dePÓsito* y una hipotética palabra **DÉposito*, con acento sobre la cuarta sílaba contando a partir del final de la palabra. Tal palabra no solo resultaría difícil de pronunciar, sino que sonaría anormal, desviada, a los oídos de un nativo. Cuando una palabra contiene más de tres sílabas, las anteriores a la antepenúltima son forzosamente inacentuadas. El español no admite, pues, las llamadas palabras sobreesdrújulas, salvo en algunos casos especiales de *palabras compuestas* que, por lo demás, regularmente contienen dos sílabas tónicas o constituyen unidades sintácticas superiores a la palabra: *fácilmente, cómetelo*. Resulta revelador en este sentido el hecho de que las palabras esdrújulas *régimen* y *espécimen*, al pasar a plural, desplazan su acento un lugar hacia el final: *reGÍmenes* y *espeCÍmenes*. De no ser así, el acento caería fuera de la zona acentuable de esas palabras.

9.1.4 Función del acento

El acento libre, o de libertad limitada, como el del español, desempeña fundamentalmente una función distintiva, según varios autores que apoyan su opinión con términos como:

límite	*limite*	*limité*	*cortes*	*cortés*
ánimo	*animo*	*animó*	*peso*	*pesó*

Sin embargo, otros investigadores se oponen a esta concepción y le atribuyen al acento español una función predominantemente *contrastiva*, no distintiva como la de los fonemas. El razonamiento de estos autores puede ser ilustrado de la siguiente forma: si en la palabra /péso/ se suprime el acento de la primera vocal, no se obtiene la palabra /pesó/, sino una forma inexistente o imposible /peso/, sin ningún acento; si a la segunda vocal de /péso/ se agrega el acento, no se obtiene tampoco la palabra /pesó/, sino una estructura aberrante /pésó/, con dos acentos.

169

Por tanto, la distinción entre ambas palabras no es creada por la aparición o desaparición del rasgo 'acento', como lo está la distinción entre *beso* y *peso* por la aparición o desaparición del rasgo *sonoridad*. En el caso de la pareja /péso/ y /pesó/, la diferencia es causada por la desaparición del rasgo 'acento' de un punto de la cadena hablada, con su necesaria reaparición en otro punto de ella, es decir, por el *desplazamiento* de ese rasgo. Así, lo que tiene valor distintivo es el *lugar del acento*, no el acento en sí.

Un fonema, unidad distintiva por excelencia, se opone a otros que no están presentes en la cadena hablada pero que pueden aparecer en su mismo contexto. Por ejemplo, la /e/ de /péso/ se opone a /i/, /a/, /u/, ausentes en esa palabra, pero posibles en la misma posición que ocupa /e/: /píso/, /páso/, /púso/.

En cambio, la función del acento consiste en poner de relieve una sílaba frente a otras que necesariamente carecen de él en la misma unidad acentual, es decir, el acento supone la presencia de su opuesto en la misma secuencia. Así, para percibir que la sílaba *pe* de /pélo/ es tónica, hay que oírla junto a la siguiente *lo* átona. Igualmente, la *pe* de /peló/ se percibe inacentuada solo mediante la confrontación con la sílaba adyacente *ló* acentuada.

9.1.5 Esquemas acentuales en español

Cuando la sílaba acentuada ocupa el último, el penúltimo o el antepenúltimo lugar en el interior de una palabra, esta se denomina aguda, llana o esdrújula, respectivamente.

Naturalmente, solo en las palabras de tres o más sílabas existen las tres posibilidades de colocación del acento:

	esdrújula	llana	aguda
trisílabas:	*término*	*termino*	*terminó*
	hábito	*habito*	*habitó*
tetrasílabas:	*depósito*	*deposito*	*depositó*
	solícito	*solicito*	*solicitó*
pentasílabas:	*específico*	*especifico*	*especificó*
	dialectólogo	*inteligente*	*comunicación*

En las palabras bisílabas, solo dos posiciones acentuables son posibles: la última y la primera sílaba.

llana	aguda
canto	*cantó*
ira	*irá*

En las palabras monosílabas, lógicamente, el contraste entre sílaba acentuada y otras no acentuadas no es posible. Lo que hay es una sola sílaba susceptible de ser acentuada cuando se une a otras palabras en la cadena hablada. Según esto, cuando se trata de palabras de una sílaba habría que distinguir entre palabras susceptibles de acento, como los verbos y los sustantivos, y palabras no susceptibles de acento, como los artículos y las preposiciones. Ejemplos: dé/de, sí/si, té/te, mí/mi.

Tanto entre las palabras bisílabas como entre las de tres o más sílabas, el esquema acentual de las *llanas* representa una aplastante mayoría que oscila entre el 75% y el 80%. Podría decirse que la palabra española típica, la palabra preferida por el español, es la llana o grave. Esto se revela no solo en el hecho estadístico de que la inmensa mayoría de las palabras son llanas, sino también por medio de otras razones:

1. las *siglas* (palabras abreviadas formadas por la unión de la primera letra o letras de un nombre compuesto) suelen ser formas llanas: ONU, UNESCO, SIDA, OTAN, OVNI, ETA.
2. la mayoría de las *palabras derivadas*, aunque provengan de una aguda o de una esdrújula, adoptan el esquema acentual llano: papel > papelito; plátano > platanero; acontecer > acontecimiento.
3. algunos procesos de reducción convierten palabras agudas en llanas (televisión > tele) o movilizan el acento para que la forma apocopada mantenga la estructura llana (bicicleta > bici, señorita > seño).

9.2 La entonación

En cierto sentido, la entonación es a la oración o al grupo fónico, lo que el acento es a la palabra o al grupo tónico (unidad acentual). En efecto, una oración no puede existir sin una determinada entonación que la caracterice. Podría decirse que la entonación es la curva melódica que dibuja un enunciado hablado, y que funciona como elemento integrador de las palabras dentro de la oración.

Desde el punto de vista físico, el índice principal para el reconocimiento o la percepción de la entonación son las variaciones de frecuencia de la onda sonora, que articulatoriamente tienen como correlato la diferente frecuencia de vibración de las cuerdas vocales.

La presencia de este suprasegmento puede contribuir a crear un cambio de significado en la oración o a expresar ciertos sentimientos o estados de ánimo, como alegría, súplica, ira, desprecio, ironía, satisfacción. Una misma oración, como *Estudiaste mucho*, puede tener sentido afirmativo, interrogativo o exclamativo, de acuerdo con la entonación que se le asigne. Incluso podría expresar un matiz emocional de alegría, satisfacción, duda, ironía, etc., según el tono o la curva melódica con que se pronuncie.

Hay rasgos de la entonación que son universales, como un descenso brusco del tono al fin de una oración afirmativa, la elevación de la voz para la pregunta, un tono bajo y uniforme para la expresión de tristeza. Pero cada lengua, cada dialecto, presenta unas características peculiares en lo referente a la forma y la combinación de sus curvas melódicas.

Lamentablemente, se trata de uno de los fenómenos menos estudiados de la fonología española. Como, por otra parte, hay tantas diferencias entre la entonación propia de un país y la de otro, resulta imposible realizar una descripción objetiva y detallada de alcance panhispánico. Lo que se ofrece a continuación son unos conceptos generales muy básicos sobre el tema.

9.2.1   Grupo fónico

En el estudio de la entonación es conveniente partir del concepto de *grupo fónico*, que es la unidad básica sobre la que se aplica la curva o estructura musical correspondiente a cada oración.

Un grupo fónico es toda secuencia lingüística, compuesta de uno o de varios grupos tónicos, precedida y seguida por pausas. Su extensión promedio en español oscila alrededor de las ocho sílabas. Por tanto, no es pura coincidencia que el verso más popular de la literatura hispánica a través de la historia haya sido el octosílabo.

El grupo puede corresponder a una oración completa con sujeto y predicado, como *El hijo de Juan cumplió un año*. Cuando la oración presenta una extensión superior, se divide en dos o más grupos, como en el enunciado *Al que a buen árbol se arrima, buena sombra le cobija*, donde la pausa interna es señalada gráficamente por la coma. En ciertos casos, esta unidad fonética puede constar de una sola sílaba, como *voy*, *no*, *sí*. A la pregunta *¿Qué comiste?*, por ejemplo, alguien puede responder simplemente: *pan*.

9.2.2 Función de la entonación

Aunque la entonación afecta o cubre la oración completa, su función distintiva o significativa se ejerce, principalmente, variando el tono de la parte final del grupo fónico, por lo general a partir de su última sílaba acentuada. Esta parte final del grupo fónico se denomina *tonema*.

En español, el tonema se orienta en tres direcciones básicas:
a. descendente
b. horizontal
c. ascendente

Un enunciado afirmativo, por ejemplo, se opone a uno interrogativo mediante la realización de un tonema descendente y ascendente, respectivamente. Hay que señalar, sin embargo, que en el caso de la interrogación, la función de la entonación puede ser suplida por la presencia de una palabra interrogativa. Por ejemplo, la oración afirmativa *Llegó el avión* se diferencia de la interrogativa *¿Llegó el avión?* mediante la oposición de un tonema descendente frente a otro ascendente.

Pero en la oración interrogativa *¿Cuándo llegó el avión?* la palabra *cuándo* encierra el significado interrogativo y convierte en redundante la función del tonema ascendente.

9.2.3 Tonema descendente

Es propio de las oraciones *enunciativas* (afirmativas o negativas), *imperativas* y *exclamativas* compuestas por un solo grupo fónico.
Ejemplos:

   Está durmiendo. ↘   *No quiere comer.* ↘
   Llama a tu amigo. ↘   *¡Qué día más largo!* ↘
   Póngase de pie. ↘   *¡Excelente!* ↘

También caracteriza a las interrogativas iniciadas con palabra interrogativa. Ejemplos:

   ¿Dónde guardaste el dinero? ↘
   ¿Cómo estás? ↘

Cuando la oración enunciativa contiene dos o más grupos fónicos, solo el último termina forzosamente con tonema descendente. Los tonemas interiores pueden ser horizontales o ascendentes.

173

Ejemplos:

Uno de los principales problemas nacionales ↗ | *es el alto índice de analfabetismo.* ↘

La niña de Guatemala, ↘ | *la que murió de amor,* ↗ | *tenía los ojos de azabache.* ↘

9.2.4 Tonema horizontal

En este caso, mucho menos frecuente que los otros, el tono final permanece al mismo nivel en que se pronuncia el cuerpo del grupo fónico del que forma parte. Es característico de los enunciados con sentido incompleto, o de aquellos que se interrumpen, dando el resto por entendido.

Ejemplo:

No me gusta porque ... →

9.2.5 Tonema ascendente

Se utiliza en oraciones interrogativas y en grupos fónicos iniciales o interiores de oraciones enunciativas compuestas por varios grupos.

Ejemplos:

¿No estás conforme con tu calificación? ↗

¿Sigue durmiendo? ↗

A mal tiempo, ↗| *buena cara.* ↘

El muchacho que vimos en el parque, ↗ | *es sobrino del profesor.* ↘

También termina con tonema ascendente el primer grupo de la subordinación. Ejemplos:

Si yo fuera rico, ↗ | *me iría de vacaciones a Europa.* ↘

Quien fue a Sevilla, ↗ | *perdió su silla.* ↘

Cuando su madre lo llamó, ↗ | *ya él estaba despierto.* ↘

No fueron a la fiesta ↗ | *porque tenían que estudiar.* ↘

De modo semejante, se realiza con tonema ascendente el penúltimo grupo de una serie enumerativa formada por proposiciones coordinadas.

Ejemplo:

En un instante salí a la calle ↗ | *y corrí hasta la esquina.* ↘

174

En este tipo de oraciones, tanto el último grupo, como los anteriores al penúltimo, si los hay, presentan una curva descendente. Ejemplos:
Ella se vistió de prisa,↘| llamó por teléfono a su madre,↘| dio un beso a su esposo ↗| y salió a la calle. ↘

El mismo esquema de entonación caracteriza las series enumerativas formadas por palabras individuales. Ejemplo:
Este semestre incluye a enero,↘| febrero,↘| marzo,↗| y abril. ↘

9.2.6 Entonación y pausa

Las variaciones entonativas van a menudo acompañadas de la realización de pausas o interrupciones momentáneas de la fonación. Estos momentos de silencio se originan por razones fisiológicas (la necesidad de respirar y de recuperar el aire que se necesita para la fonación) y lingüísticas (para distinguir un enunciado de otro).

Las variaciones de la entonación seguidas de pausa desempeñan una función distintiva de oraciones en casos como:

1. José estudia. (oración enunciativa)
2. José, estudia. (oración imperativa)

1. María pregunta quién murió. (interrogación indirecta)
2. María pregunta: "¿Quién murió?" (interrogación directa)
3. María, pregunta quién murió. (oración imperativa)

1. Los niños que están cansados regresarán primero. (restrictiva)
2. Los niños, que están cansados, regresarán primero. (no restrictiva)

En algunos casos, el valor semántico de la palabra a la que modifica la proposición adjetiva exige que esta sea no restrictiva, lo que convierte en obligatoria la pausa. Ejemplo:
Su padre,| que vive en Caracas,| es ingeniero mecánico.
Si en este tipo de oración se suprime la pausa, no solo se produce un cambio de sentido, sino un resultado semánticamente absurdo, ya que se estaría sugiriendo que la persona aludida por el posesivo *su* tiene dos o más padres, uno que vive en Caracas y otro(s) que vive(n) en otro lugar.

También es preciso observar que la entonación de la proposición no restrictiva se realiza en un tono más bajo que el resto de la oración.

EJERCICIOS DEL CAPÍTULO IX

I.   En cada caso seleccione la mejor respuesta:

1.1 El elemento que en realidad tiene valor distintivo es:
   a.   la zona acentuable
   b.   el acento mismo
   c.   la posición del acento
   d.   el aumento de intensidad

1.2 Según la posición del acento, las palabras españolas se clasifican en:
   a.   agudas, átonas y tónicas
   b.   oxítonas, agudas y esdrújulas
   c.   esdrújulas, llanas, agudas
   d.   ninguna de las anteriores

1.3 Palabras que en español se pronuncian normalmente con acento son:
   a.   sustantivo, verbo, conjunción
   b.   verbo, sustantivo, adjetivo
   c.   adverbio, verbo, preposición
   d.   adjetivo, sustantivo, artículo

1.4 El número de grupos fónicos que componen una oración es siempre:
   a.   mayor que uno
   b.   mayor que cero y menor que cinco
   c.   menor que el número de palabras
   d.   ninguna de las anteriores

1.5 Las palabras sin acento pronunciadas junto a la siguiente se llaman:
   a.   enclíticas
   b.   proclíticas
   c.   protónicas
   d.   ninguna de las anteriores

1.6 La entonación de una oración imperativa requiere un tonema final:
   a.   ascendente
   b.   descendente
   c.   horizontal
   d.   curvilíneo

1.7 Una palabra que no sea compuesta en español no puede ser nunca:
   a.   polisílaba
   b.   esdrújula
   c.   sobreesdrújula
   d.   ni (b) ni (c)

1.8 Lenguas en las que el acento cambia de posición en la palabra son:
   a.   el francés, el español y el portugués
   b.   el inglés, el polaco y el italiano
   c.   el italiano, el inglés y el español
   d.   el alemán, el checo y el ruso

1.9 Normalmente, las pausas al final de los grupos fónicos se realizan por razones:
   a.   sociales
   b.   fisiológicas
   c.   lingüísticas
   d.   (b) y (c)

1.10 Una palabra de dos sílabas en español solo puede ser:
   a.   oxítona o aguda
   b.   grave o esdrújula
   c.   aguda o esdrújula
   d.   aguda o llana

1.11 Una oración interrogativa debe terminar con un tonema:
   a.   ascendente
   b.   horizontal
   c.   descendente
   d.   (a) o (c)

1.12 Toda secuencia lingüística precedida y seguida por pausa se llama:
   a.   grupo fónico
   b.   grupo tónico
   c.   tonema
   d.   suprasegmento

II. En las siguientes oraciones, subraye las palabras que se pronuncian sin acento. Luego transcriba fonéticamente cada oración.

2.1. En cuanto lo sepa, te llamaré por teléfono.

2.2. Nos dice que no encuentra el dinero donde estaba ayer.

2.3. Me gustas cuando callas, porque estás como ausente.

III. ¿Es cierto que *el español prohíbe las palabras sobresdrújulas*?

_____

_____

_____

IV. Explique y comente la siguiente afirmación:
Por medio de la entonación es posible reconocer la actitud emocional con que el hablante pronuncia una oración.

_____

_____

_____

_____

V. Lea en voz alta, con la debida entonación:

Puedes hacerlo como quieras. ↘   *¿Cómo estás?* ↘
Déjalo donde está. ↘   *No sé dónde está.* ↘
Pienso luego existo. ↘   *Volveré luego.* ↘
Acepto todo menos eso. ↘   *No es para menos.* ↘
Tú decides tu futuro. ↘
¿Deseas comer alguna cosa más? ↗
A quien duerme junto al río, ↗ | *se lo lleva la corriente.* ↘
¿Le dejamos una nota en la puerta ↗ | *o mejor lo llamamos por teléfono?* ↘
Si no quieres más que eso ↘ | *y prometes volver temprano,* ↗ | *ve a jugar con tus amigos* ↗ | *y diviértete lo más que puedas.* ↘

178

VI. CRUCIGRAMA 9

VERTICALES:
1. Nombre del acento que puede aparecer en diferentes posiciones de la palabra.
2. Aplicado a una sílaba, adjetivo que quiere decir lo mismo que acentuada.
4. Palabra inacentuada que se pronuncia apoyada en la siguiente.
6. Curva melódica que se realiza al pronunciar una oración.
7. Rasgo fonético considerado por muchos como responsable del acento español.
8. Tipo de palabra de enlace, como *de*, *en*, *para*, *por*, carente de acento.
10. Nombre de la función del acento que permite destacar una sílaba sobre otras.
11. Único tipo de palabra en el que es posible el esquema acentual sobresdrújulo.
12. Nombre del acento con que se resalta una palabra o sílaba normalmente átona.

HORIZONTALES:
3. Acento de ciertas lenguas que cae siempre en la misma posición de la palabra.
5. Parte final del grupo fónico a partir de la última sílaba acentuada.
6. Palabra inacentuada que se pronuncia apoyada sobre la anterior.
9. Elemento que destaca una sílaba mediante un aumento del tono y la intensidad.
13. Silencio o interrupción momentánea de la fonación.
14. Palabra en la que el acento cae sobre la última sílaba.
15. Dirección del tonema final de una oración enunciativa.
16. Tipo de palabra más frecuente en español, con acento en la penúltima sílaba.

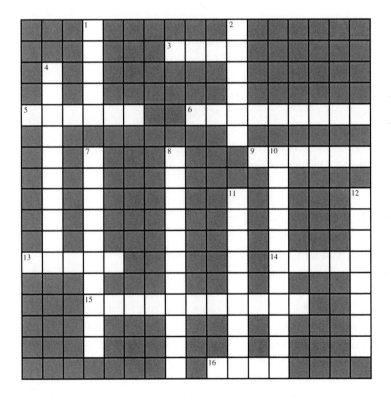

179

VII.   Lea en voz alta, con la debida entonación, los siguientes versos:

Puedo escribir los versos más tristes esta noche.
Escribir, por ejemplo: "La noche está estrellada,
y tiritan, azules, los astros, a lo lejos."
El viento de la noche gira en el cielo y canta.

Puedo escribir los versos más tristes esta noche.
Yo la quise, y a veces ella también me quiso.
En noches como esta la tuve entre mis brazos.
La besé tantas veces bajo el cielo infinito.
Ella me quiso; a veces, yo también la quería.
¡Cómo no haber amado sus grandes ojos fijos!
Puedo escribir los versos más tristes esta noche.
Pensar que no la tengo. Sentir que la he perdido.
Oír la noche inmensa, más inmensa sin ella.
Y el verso cae al alma como al pasto el rocío.

¡Qué importa que mi amor no pudiera guardarla!
La noche está estrellada y ella no está conmigo.
Eso es todo. A lo lejos alguien canta. A lo lejos.
Mi alma no se contenta con haberla perdido.
Como para acercarla, mi mirada la busca.
Mi corazón la busca, y ella no está conmigo.
La misma noche que hace blanquear los mismos árboles.
Nosotros, los de entonces, ya no somos los mismos.

Ya no la quiero, es cierto, pero cuánto la quise.
Mi voz buscaba el viento para tocar su oído.
De otro. Será de otro. Como antes de mis besos.
Su voz, su cuerpo claro. Sus ojos infinitos.
Ya no la quiero, es cierto, pero tal vez la quiero.
Es tan corto el amor, y es tan largo el olvido.
Porque en noches como esta la tuve entre mis brazos,
mi alma no se contenta con haberla perdido.
Aunque este sea el último dolor que ella me causa,
y estos sean los últimos versos que yo le escribo.

(Pablo Neruda)

VIII.   Después de identificar los grupos fónicos del texto siguiente, señale la dirección ascendente, horizontal o descendente con que termina cada uno y léalo con la adecuada entonación.

Una vez, una madre de las que en la América Latina pueden, por la ternura, servir de modelo a cualesquiera madres, decía, refiriéndose a uno de sus pequeñuelos:

__ "Y este será sacerdote."

__ "Si tiene esa vocación, enhorabuena," dijo su marido.

__ "Y aunque no la tenga: el sacerdote no tiene que luchar tanto con la vida como otros."

__ "Es un error: en la vida, todos son sacerdocios, y todos imponen deberes costosos."

__ "Pero el sacerdote tiene siempre el pan a la mano."

__ "Pero no siempre lo tiene a la conciencia."

__ "¿Qué quieres decir? "

__ "Que no siempre es tan fácil para la conciencia el acercarse al pan que se toma fácilmente con la mano."

__ "¿Por qué?"

__ "Porque el pan no se digiere solamente con el estómago."

__ "¿Pues acaso hay algún otro aparato digestivo?"

__ "Varios: la razón, que juzga de nuestro modo de ganar el pan, es otro; la conciencia, que aprueba o condena los modos de subsistencia que se adoptan, otro."

__ "Y el sacerdocio eclesiástico, ¿es uno de esos modos de ganar la vida que la razón juzga mal, que la voluntad resiste y que la conciencia condena?"

__ "Si lo adopta la vocación, no; cuando lo adopta el egoísmo cauteloso e inmoral, sí."

__ "¿Por qué?"

__ "Por lo mismo que es inmoral hacerse abogado o médico, o maestro o periodista, o comerciante o peluquero, sin más mira que la de ganar el pan."

__ "Pero aun así, cuando el objeto es evitar los vicios de la ociosidad, y la deshonra del vicio ..."

__ "Menos malo, en efecto, pero es malo."

__ "Pero si así se hace un bien a la familia ..."

__ "A la verdadera familia no se le puede hacer un bien que sea un mal para la sociedad."

__ "Y ¿por qué es un mal para la sociedad el seguir sin vocación una carrera?"

__ "Porque todo oficio, carrera, profesión o función social requiere un número determinado de deberes, que se cumplen tanto menos cuanto mayor es la repugnancia con que los reconocemos, y toda vocación extraviada impone deberes repugnados."

__ "Pero eso, en último caso, será un mal para el extraviado de su vocación."

__ "Para él, para la familia, para sus convecinos, para sus comarcanos, para su patria y para la humanidad entera."

__ "¿Cómo así?"

__ "Porque lo que la sociedad humana quiere y requiere de sus miembros es que coadyuven al orden social y para eso hay que cumplir con su deber; y para que el cumplimiento del deber sea general, hay que hacer del deber una causa y origen de felicidad."

(Fragmento de *La Moral Social y las Profesiones*,
de Eugenio M. de Hostos)

Capítulo X

FONÉTICA HISTÓRICA

10.1   Preliminares

El hecho de que las lenguas cambian resulta evidente. Ciertas palabras que se usaban antes, como *aguaitar, asaz, parlar*, ya no tienen vigencia. Inversamente, en la actualidad se emplean muchos términos, como *estrés, formatear, pluriempleo*, desconocidos en épocas pasadas.

De igual manera cambia a través del tiempo el sistema de sonidos de la lengua. Durante la Edad Media se pronunciaban con **f** inicial palabras como *fablar* o *fermosa*. Sin embargo, ese sonido desapareció y solo ha quedado como recuerdo de él, la letra **h** con que se escriben esas palabras: *hablar, hermosa*.

Como es sabido, el español proviene del latín vulgar, la lengua que se hablaba en el antiguo Imperio Romano, y de la cual proceden, además, el *catalán*, el *francés*, el *gallego*, el *italiano*, el *portugués*, el *provenzal*, el *rético*, el *rumano* y el *sardo*. La causa principal de la fragmentación del latín en diferentes lenguas románicas fue la invasión, en el siglo V, de los bárbaros procedentes de diversas tribus del norte de Europa. Este hecho provocó o precipitó la división y la incomunicación entre las regiones del Imperio. En unas zonas se establecieron los francos; en otras, los suevos; en otras, los visigodos; etc. Como estas tribus hablaban lenguas distintas y su cultura era menos desarrollada que la de los romanos, los nativos del territorio mantuvieron su lengua: el latín vulgar. Pero la falta de comunicación entre unos y otros, junto con la diversidad étnica de los invasores, fueron profundizando las diferencias lingüísticas hasta que llegó un momento en que el latín hablado en la Galia, por ejemplo, era significativamente distinto al hablado en la Península Ibérica, o en la Itálica.

El latín vulgar hablado en el territorio norcentral de la Península Ibérica, en la región llamada Castilla, comenzó a evolucionar de forma revolucionaria siguiendo unas tendencias fonéticas particulares que lo fueron diferenciando del de otras regiones.

El norte de España se encontraba dividido en pequeños reinos: Aragón, Castilla, León, Navarra. Entre todos ellos, Castilla se destacaba por su dinamismo y agresividad, tanto en el campo guerrero como en el lingüístico. Por eso, poco a poco el castellano se fue difundiendo hasta que llegó a absorber o desplazar los dialectos de las zonas vecinas. Al llegar el siglo XII, ya el dialecto castellano había evolucionado tanto que se puede considerar una nueva lengua, independiente y diferente del latín vulgar del que deriva. Y para consolidar su desarrollo, hacia 1140 aparece el *Poema del Mío Cid*, la primera gran obra literaria escrita en castellano.

Aparte de razones de carácter interno, también influyeron en los procesos evolutivos que experimentó el castellano, factores externos como la vecindad con la lengua vasca y el prolongado contacto con los árabes, quienes permanecieron en España desde el siglo VIII hasta finales del XV.

10.2 Evolución de las vocales

En la evolución de las vocales del latín en su paso hacia el español, desempeñaron una función importante dos factores: el acento y la cantidad.

El acento, que generalmente se mantuvo en español en la misma posición que tenía en latín, es muy importante para conocer los cambios fonéticos experimentados por las vocales. Por ejemplo, la e acentuada de *terra* diptonga en ie (*tierra*) en castellano, pero la e inacentuada de *terrenus* no cambia (*terreno*). Asimismo, la primera o de *honorare* (*honrar*) se conserva, pero la segunda se pierde por estar situada inmediatamente delante de la sílaba acentuada -ra-.

En cuanto a la cantidad (la mayor o menor duración de un sonido) es importante saber que en latín clásico había diez vocales: cinco largas y cinco breves. Esta diferencia de cantidad o duración se convirtió en latín vulgar en una diferencia de calidad o de timbre, de manera que todas las vocales largas se hicieron cerradas y las breves se convirtieron en abiertas. Más tarde, las diez vocales se redujeron a siete en latín vulgar: /a/, /ɛ/, /e/, /i/, /ɔ/, /o/, / u/. De acuerdo con esta diferencia, se explica el hecho de que la [ɔ] de *bonum* diptongue en ue (*bueno*), pero la [o] de *solum* se haya mantenido (*solo*).

Se utiliza el símbolo ¯ para indicar vocal larga, y ˘ para vocal breve.

10.2.1 Vocales acentuadas

Los cambios principales que experimentaron las vocales acentuadas pueden ser resumidos de la siguiente manera:

A. todas las vocales largas, más la a breve, se mantienen sin cambio.
   Ejemplos: patre ➡ padre, ala ➡ ala; plēnu ➡ lleno; vĕnīre ➡ venir; hōra ➡ hora; lūna ➡ luna, mūla ➡ mula.

B. las vocales breves, excepto la **a**, evolucionaron de la siguiente manera:

B.1 la **e** y la **o** diptongaron en **ie** y **ue**, respectivamente:
Ejemplos: bĕne ➡ bien, bŏnu ➡ bueno.

B.2 la **i** y la **u** se hicieron más abiertas, es decir, se transformaron en **e** y **o**, respectivamente:
Ejemplos: lǐttera ➡ letra; cǔppa ➡ copa.

En ocasiones, sin embargo, estas tendencias de evolución fonética no se cumplieron. El factor más importante que impidió su cumplimiento fue la **yod**. Los filólogos llaman **yod** al sonido palatal i, semiconsonántico o semivocálico, que acompaña a una vocal como elemento inicial o final de un diptongo. El carácter cerrado de la articulación de esta i hace que los sonidos anteriores se cierren también.

Algunas consecuencias de la **yod** son las siguientes:

a. La **e** y la **o** breves, que diptongaban en ie, ue, no lo hicieron cuando iban seguidas de yod.
Ejemplos: fŏlia ➡ hoja; pĕctu ➡ peitu ➡ pecho.

b. La **i** y la **u** breves, seguidas de yod, no cambiaron a abiertas en latín vulgar, sino a cerradas, y por eso se conservaron.
Ejemplos: vǐtrĕu ➡ vitrio ➡ vidrio (no vedrio);
lǔcta ➡ luita ➡ lucha (no locha).

c. La **a** acentuada, la larga como la breve, se mantuvo en español, pero si era seguida por una i (yod) se producía una asimilación recíproca (ambas vocales se influyeron, cerrándose la primera y abriéndose la segunda, dando así como resultado una **e**).
Ejemplos: laicu ➡ lego; prīmariu ➡ primairu ➡ primero;
factu ➡ faitu ➡ hecho.

De manera paralela a este cambio que, por asimilación, llevó la secuencia *ai* a una *e*, la combinación *au* se convirtió en *o*.
Ejemplos: tauru ➡ toro; paucu ➡ poco.

10.2.2 Vocales inacentuadas

En la evolución de las vocales inacentuadas tuvo mucha importancia la posición que dentro de la palabra y con respecto al acento ocupaba la vocal. Se deben distinguir cuatro contextos o posiciones con respecto a la palabra:

a. inicial
b. protónica interna
c. postónica interna
d. final

A. Al principio de palabra, precedidas o no de consonante, se mantienen todas las vocales, excepto la **i** y la **u** breves, que cambian en **e** y **o**, respectivamente.

Ejemplos: *amīcu* ➡ *amigo, secūru* ➡ *seguro, rīparia* ➡ *ribera, formīca* ➡ *hormiga, mūtăre* ➡ *mudar*;
sin embargo, *mĭnūtu* ➡ *menudo, ŭmbilĭcu* ➡ *ombligo*.

La **a** inicial seguida de **i** (ai) se convierte en **e** (*lactūca* ➡ **laituca* ➡ *lechuga*) y seguida de **u** cambia a **o** (*autŭmnu* ➡ *otoño*).

B. En posición protónica (delante del acento) en el interior de la palabra, suelen desaparecer todas, excepto la **a**.

Ejemplos: *paradīsu* ➡ *paraíso*; *aperīre* ➡ *abrir*; *solitariu* ➡ *soltero*; *honorare* ➡ *honrar*; *cŏmpŭtare* ➡ *contar*.

Cuando hay dos protónicas internas, desaparece la que se encuentra inmediatamente antes del acento: *commūnĭcare* ➡ *comulgar*.

C. En posición postónica (después del acento) en el interior de la palabra, suelen perderse todas, con algunas excepciones de la **a**.

Ejemplos: *pŏpŭlu* ➡ *pueblo*; *hŏmĭne* ➡ *hombre*; *hŭmĕru* ➡ *hombro*.

D. En posición final de palabra, los resultados generales son estos:

188

1. La **a** y la **o** se conservan:
   Ejemplos: rosa ➡ rosa; octo ➡ ocho.

2. La **e** se pierde con frecuencia cuando la preceden las consonantes
   representadas por **t**, **d**, **n**, **l**, **r**, **s**, **c**:
   Ejemplos: bĕne ➡ bien; amare ➡ amar; vīrtūte ➡ virtud;
   male ➡ mal; pīsce ➡ pez.

3. La **i** y la **u** se transforman en **e**, **o**, respectivamente:
   Ejemplos: dīxi ➡ dije; latu ➡ lado.

10.3   Evolución de las consonantes

Las transformaciones que experimentaron las consonantes latinas al pasar al español varían de acuerdo con su posición en la palabra.

10.3.1   Al inicio de la palabra:

A. Las consonantes simples situadas al inicio de la palabra generalmente
   se mantienen.
   Ejemplos: *pŏnte* ➡ *puente*, *lacte* ➡ *leche*, *mensa* ➡ *mesa*, *tĕrra* ➡
   tierra.

Algunos casos constituyen una excepción a este resultado general. El principal se refiere a la **f-**, que se transforma en [h] aspirada, primero, y después desaparece.
Ejemplos: *famĭne* ➡ *hambre*, *fĕrrum* ➡ *hierro*, *făcĕre* ➡ *hacer*.
   Conviene advertir que este cambio no se produjo delante del diptongo **ue**: *fuerte*, *fuente*; y no siempre delante de **ie**: *fiel*, *fiero*. Tampoco ocurrió delante de /r/: *freír*, *frío*.
   Otro cambio, que solo sucede en ciertas palabras, afecta a la **s-** inicial que se convierte en /x/ "j": *sapōne* ➡ *jabón*, *sūcu* ➡ *jugo*; pero *sanu* ➡ *sano*, *sōle* ➡ *sol*. Además de esos casos, también desaparece a veces la **g** cuando va seguida de /i/: *gingīva* ➡ *encía*.

B. Los grupos de dos consonantes experimentan los cambios siguientes:

   b.1.   sC: cuando la palabra comienza con una **s** que va seguida de
           consonante, se produce una prótesis que consiste en introducir

189

una **e** delante de la **s**.
Ejemplos: scrībĕre ➡ escribir, scūtu ➡ escudo.
[este mismo proceso se sigue produciendo en la actualidad con las palabras prestadas del inglés o de otras lenguas, como slogan ➡ eslogan]

b.2. **pl, fl, kl**: estos grupos iniciales se transforman en "elle", o dicho de otra forma, la l se palataliza dando lugar a una /λ/.
Ejemplos: plŭvia ➡ lluvia, flamma ➡ llama, clave ➡ llave.
En formas tardías o cultas suele mantenerse el grupo original:
Ejemplos: flore ➡ flor, claru ➡ claro, clavis ➡ clave.

10.3.2 En el interior de la palabra:

A. Las nasales **m, n**, y las líquidas **l, r** se conservan:
Ejemplos: dōnāre ➡ donar; pĭlu ➡ pelo; amare ➡ amar.

B. Las oclusivas sordas intervocálicas se transforman en sonoras:
p ➡ b, t ➡ d, k ➡ g.
Ejemplos: sŭper ➡ sobre, pietate ➡ piedad, lacu ➡ lago.

C. Las fricativas sordas:

‣ La **s** intervocálica se hizo sonora, como la del francés en maison. Por ejemplo, la palabra *rosa* se pronunciaba [róza]. Posteriormente, se perdió la sonoridad y se volvió a la s sorda original.

‣ La **f** intervocálica cambia a la sonora correspondiente **v**. Un ejemplo es la palabra *profectu* ➡ *provecho*. Al producirse la igualación, desde el siglo XVI, entre la /v/ y la /b/, a veces se confundían también en la escritura:
Stephanu ➡ Esteban.

D. Las oclusivas sonoras **b, d, g** intervocálicas experimentan un proceso de fricativización, es decir, se suavizan.
Ejemplos: nīdu ➡ [níðo], rogare ➡ [r̄oɣár].
En ocasiones, estas fricativas se perdieron: lĭmpĭdu ➡ limpio, rīvu ➡ río, vĭdēre ➡ ver, regīna ➡ reina.

E. Las consonantes interiores dobles de hacen sencillas.
    Ejemplos: mĭttĕre ➡ meter, bŭcca ➡ boca.
    /l/ y /n/ dobles cambian a palatales /λ/ y /ɲ/, respectivamente.
    Ejemplos: stēlla ➡ estrella, annu ➡ año.

F. Los grupos de consonantes:

    ▸ Seguidas de l y r, las oclusivas sordas evolucionaron igual
       que cuando estaban entre vocales, es decir, sonorizaron.
       Ejemplos: aprīle ➡ abril, dŭplu ➡ doblo, matre ➡ madre.

    ▸ Precedidas por las líquidas l, r, por nasales o por la s, las
       consonantes normalmente se conservan.
       Ejemplos: altu ➡ alto, ĭste ➡ este, fŭngu ➡ hongo.
       Sin embargo, hay varios casos que no siguen esta tendencia:

       ▸ rs ➡ s: ūrsu ➡ oso.
       ▸ ns ➡ s: mensa ➡ mesa.
       ▸ mb ➡ m: palŭmba ➡ paloma.
       ▸ mn ➡ ɲ: damnu ➡ daño.

    ▸ Otros grupos:

       ▸ ps ➡ s: ĭpse ➡ ese.
       ▸ pt ➡ t: scrīptu ➡ escrito.
       ▸ ks ➡ x: dīxi ➡ dije.
       ▸ gn ➡ ɲ: sĭgna ➡ seña.

G. Consonantes seguidas de yod:

    El elemento palatal conocido como *yod* fue un factor importante
    en el surgimiento de otros sonidos, como θ (zeta), ǰ (ye), x (jota),
    ɲ (eñe), λ (elle), č (che), que no existían en latín.

    Ejemplos:
    d + yod ➡ /ǰ/: radiu ➡ rayo; audiente ➡ oyente.
    t + yod ➡ /θ/: cantione ➡ canción; capĭtia ➡ cabeza.
    n + yod ➡ /ɲ/: Hĭspania ➡ España; seniore ➡ señor.
    l + yod ➡ /x/: mŭliere ➡ mujer; aliēnu ➡ ajeno.

También guarda relación con la yod el cambio de **kt** a [č]. La palatalización solo se explica al considerar que la **k** se vocalizó en **i** (yod): ŏcto ➡ oito ➡ ocho; factu ➡ faito ➡ feito ➡ fecho ➡ hecho.

H. Grupos románicos:

Como consecuencia de la pérdida de las vocales pro y postónicas, se forman grupos de consonantes no existentes en latín. Estos grupos evolucionaron unas veces como los del latín, pero otras veces siguieron otra dirección por haberse creado en época más tardía.
Ejemplos:
mn ➡ **mbr** (no ɲ): hŏmĭne ➡ homne ➡ hombre.
pt ➡ **ut** ➡ **ud** (no t): capĭtāle ➡ caudal.

Algunos de estos fenómenos permiten a veces descubrir la cronología de los cambios fonéticos. Al considerar el caso de la palabra latina *pūlĭca*, por ejemplo, hay que concluir que primero se dijo *puliga* y después *pulga*. Si se hubiera producido primero la pérdida de la *i* postónica, la solución final hubiera sido *pulca*, porque al no encontrarse entre vocales, la [k] no habría cambiado a [g]. Sin embargo, en un caso como el de la palabra *sŏlŭtu*, la vocal postónica se perdió antes de que sonorizara la **t**. Por eso el resultado final fue *suelto*.

10.3.3 Al final de la palabra:

Muchas consonantes finales de palabra en latín desaparecieron en castellano: a*d* ➡ a, sapia*t* ➡ sepa, templu*m* ➡ templo.
Otras, como /s/ y /l/, se conservaron: mĕl ➡ miel, mĭnus ➡ menos.
La /r/ final experimenta un proceso de metátesis que la coloca en el interior de la palabra: sĕmper ➡ siempre, ĭnter ➡ entre, sŭper ➡ sobre.

No hay que olvidar que aparte de estas consonantes que en latín eran finales de palabra, en español hay ahora muchas consonantes que se convirtieron en finales como consecuencia de la desaparición de la *e* final latina. Ejemplos: fīne ➡ fin; amare ➡ amar; vĭrtūte ➡ virtud; fĭdēle ➡ fiel; pĭsce ➡ pez.

En conclusión, desde el siglo XV el español solo permite las siguientes consonantes al final de la palabra: /d, n, l, r, s, θ/. Muy raramente aparece /x/ (*reloj*) y otras solo se encuentran en palabras cultas o extranjeras: *máximum, vivac, déficit.*

10.4 ¿Qué es un cultismo?

Se llaman *cultismos* o palabras *cultas* los términos que conservan los sonidos latinos y solo experimentaron los cambios necesarios para adaptarse a la estructura fonológica del español. La razón de este fenómeno pudo ser el hecho de que fueran introducidas al vocabulario castellano después de que ocurriera la evolución anteriormente descrita o que fueran palabras poco frecuentes, solo empleadas por personas de niveles sociales altos. Ejemplos: *artículo, cátedra, fructífero, insigne.*

En cambio, son palabras *populares* las que, usadas durante siglos, han experimentado cambios fonéticos como los descritos en las páginas anteriores. Ejemplos: *hijo* (de filium), *mujer* (de mulierem), *hombre* (de hominem), *otro* (de alterum).

Se consideran *semicultas* las palabras que no han experimentado una evolución completa, de manera que presentan menos cambios que una palabra popular, pero más que un cultismo. Un ejemplo muy ilustrativo lo ofrece la palabra *codicia*, que deriva de cŭpĭdĭtĭa; la forma popular debió haber sido *codeza* (igual que *pereza* de pĭgrĭtĭa) y la culta *cupidicia*. Otro caso que para muchos autores constituye un semicultismo es *fiesta*, que viene de fĕsta. La palabra con evolución completa hubiera dado *hiesta, así como de fĕrrum derivó *hierro*, o de fĕl proviene *hiel*.

Con relativa frecuencia, un mismo término latino ha sido el origen de dos palabras españolas, una culta y otra popular, dando como resultado la existencia de dobletes etimológicos. Ambas palabras solo mantienen en común el origen, porque además de su diferenciación fonética, también han adoptado significados o matices semánticos diversos. En la próxima página se ofrecen algunos ejemplos de estos dobletes etimológicos.

culta	popular	culta	popular
acre	agrio	ínsula	isla
ánima	alma	legítimo	lindo
artículo	artejo	limitar	lindar
capital	caudal	minuto	menudo
cátedra	cadera	pleno	lleno
décimo	diezmo	rápido	raudo
digital	dedal	recitar	rezar
directo	derecho	secular	seglar
frígido	frío	solitario	soltero

Palabras cultas y populares de etimología común

EJERCICIOS DEL CAPÍTULO X

I. Según el resultado al que llegó en español, escriba sobre la vocal acentuada de cada palabra latina la señal de breve ˘ o larga ‾. El acento conservó su posición en todos los casos. Observe el ejemplo.

Ejemplo: mŏrtem ➡ muerte   (se puede deducir que la o de *mortem* era breve ya que diptongó en español.)

1.1. amorem ➡ amor   1.6. veneris ➡ viernes

1.2. herbam ➡ hierba   1.7. formicam ➡ hormiga

1.3. acutum ➡ agudo   1.8. catenam ➡ cadena

1.4. portam ➡ puerta   1.9. guttam ➡ gota

1.5. cornu ➡ cuerno   1.10. capillum ➡ cabello

II. Junto a cada forma latina, escriba la palabra española derivada. Tome en cuenta los cambios descritos anteriormente. La /m/ final de las formas de acusativo se ha suprimido. (El subrayado indica la vocal acentuada y la señal ˘ sobre una vocal quiere decir que es breve, y ‾ que es larga.

2.1. fīlu:	2.9. lacte:	2.17. seniōre:
2.2. sĕpte:	2.10. vōce:	2.18. rīparia:
2.3. fŏcu:	2.11. cŭbĭtu:	2.19. scrīptu:
2.4. jŏcu:	2.12. bĭbĭt:	2.20. fīliu:
2.5. ŏcto:	2.13. hŏdie:	2.21. navĭgare:
2.6. amīcos:	2.14. cĕrtu:	2.22. latu:
2.7. pūlĭca:	2.15. lĕpŏre:	2.23. lŭmbu:
2.8. aliēnu:	2.16. flōre:	2.24. cŏmpŭtare:

III. Describa los procesos experimentados por las formas latinas para llegar al resultado correspondiente en español, según se muestra en el ejemplo.

Ejemplo: populum ➡ pueblo

> ▸pérdida de la m final de palabra: ➡   pópulu
> ▸abertura de la u final de palabra: ➡   pópulo
> ▸sonorización de la p intervocálica: ➡   póbulo
> ▸síncopa (pérdida) de la u postónica: ➡   póblo
> ▸diptongación de la o breve acentuada: ➡   puéblo

3.1. famine ➡ hambre:

3.2. spatula ➡ espalda:

3.3. solitariu ➡ soltero:

3.4. clamare ➡ llamar:

3.5. metu ➡ miedo:

3.6. fundu ➡ hondo:

3.7. lumine ➡ lumbre:

3.8. comite ➡ conde:

3.9. sagitta ➡ saeta:

3.10. scutu ➡ escudo:

3.11. lupu ➡ lobo:

3.12. parabola ➡ palabra:

3.13. seminare ➡ sembrar:

3.14. aperire ➡ abrir:

3.15. semita ➡ senda:

3.16. factu ➡ hecho:

3.17. vinea ➡ viña:

3.18. folia ➡ hoja:

3.19. socru ➡ suegro:

3.20. rete ➡ red:

3.21. dominu ➡ dueño:

3.22. semitariu ➡ sendero:

IV. En el espacio indicado, escriba la palabra culta o la popular que deriva de la misma base etimológica. El primer caso aparece resuelto.

palabra culta   palabra popular

palabra culta	palabra popular
4.1.a. afiliado	4.1.b. _ahijado_
4.2.a. auscultar	4.2.b. _____
4.3.a. _____	4.3.b. colgar
4.4.a. _____	4.4.b. cuajar
4.5.a. computar	4.5.b. _____
4.6.a. delicado	4.6.b. _____
4.7.a. _____	4.7.b. doblar
4.8.a. _____	4.8.b. estrecho
4.9.a. íntegro	4.9.b. _____
4.10.a. _____	4.10.b. labrar
4.11.a. laico	4.11.b. _____
4.12.a. lucro	4.12.b. _____
4.13.a. luminaria	4.13.b. _____
4.14.a. _____	4.14.b. mascar
4.15.a. operar	4.15.b. _____
4.16.a. _____	4.16.b. llano
4.17.a. _____	4.17.b. recobrar
4.18.a. rotundo	4.18.b. _____
4.19.a. _____	4.19.b. rotura
4.20.a. vindicar	4.20.b. _____

V. Seleccione la mejor respuesta:

5.1 A través de la evolución histórica del latín al español, las consonantes **p, t, k** :
    a. cambiaron a fricativas cuando estaban en sílaba tónica
    b. se sonorizaron cuando estaban en posición intervocálica
    c. asimilaron la sonoridad de la consonante anterior
    d. desaparecieron cuando se encontraban en sílaba inacentuada

5.2 Una causa muy importante de la división del latín en diversas lenguas fue la:
    a invasión de los árabes
    b influencia griega
    c invasión de los bárbaros
    d. influencia vasca

5.3 A pesar de ser breve, la ŏ de la palabra *fŏlia* (*hoja*) no diptongó debido a que:
    a. la palabra comienza con /f/
    b. no recibe el acento
    c. hay una yod
    d. se trata de un cultismo

5.4 El castellano (español) surge o se constituye como lengua diferente del latín en el siglo:

    a. XV
    b. XII
    c. X
    d. VIII

5.5 Son lenguas *románicas*:

    a. el francés, el rumano, el español, el latín y el italiano
    b. el español, el portugués, el italiano, el alemán y el catalán
    c. el italiano, el francés, el español, el vasco y el portugués
    d. el rumano, el catalán, el español, el italiano y el francés

5.6 Reciben el nombre de *cultismos* las palabras que:
- a. evolucionaron lenta y parcialmente en el aspecto semántico pero permanecieron inalteradas en el nivel fonético
- b. eran utilizadas por las personas de la clase alta de la sociedad, y por eso no evolucionaron
- c. conservaron los sonidos latinos y solo experimentaron los cambios necesarios para adaptarse a la estructura fonológica del español
- d. ninguna de las anteriores

5.7 Los grupos consonánticos latinos **fl-**, **pl-** y **kl-** iniciales de palabra, evolucionaron en español como:
- a. palatal /ǰ/
- b. velar /x/
- c. palatal /λ/
- d. velar /k/

5.8 La secuencia vocálica **au** del latín dio como resultado en español:
- a. el mantenimiento del diptongo
- b. la monoptongación en **o**
- c. la desaparición de la **u**
- d. la separación de ambas vocales en hiato

5.9 En la evolución regular del latín hacia el español, las vocales /i, u/ finales de palabra:

- a. desaparecieron
- b. se mantuvieron iguales
- c. se hicieron más abiertas
- d. se hicieron más cerradas

5.10 Un hecho histórico del siglo VIII que tuvo influencia en la evolución del castellano fue:

- a. la invasión de los árabes
- b. el descubrimiento de América
- c. la invasión de los bárbaros
- d. la publicación del Mío Cid

5.11 La pérdida de la [f] inicial de palabra en castellano no se produjo cuando la consonante estaba:
   a. delante del diptongo *we*
   b. seguida por una /r/
   c. en sílaba acentuada
   d. (a) y (b)

5.12 A través de la evolución histórica del latín al español, las consonantes **b, d, g** intervocálicas:
   a. generalmente se fricativizaron y a veces desaparecieron
   b. se ensordecieron si la consonante siguiente era sorda
   c. asimilaron el lugar de articulación de la consonante anterior
   d. a menudo se conservaron intactas cuando estaban en sílaba tónica

5.13 El español comenzó su existencia como dialecto, dinámico y agresivo, en una pequeña región situada en la zona ..... de España:
   a. sudcentral
   b. norcentral
   c. oriental
   d. noroccidental

5.14 Al pasar al español, la /r/ final de palabra del latín experimentó un proceso de:
   a. elisión
   b. relajamiento
   c. metátesis
   d. apócope

VI. Exponga algunas de las consecuencias provocadas por la *yod* en la evolución fonética del español.

_____

_____

_____

_____

VII. CRUCIGRAMA 10

HORIZONTALES:

1. Duración de un sonido que permite distinguir entre vocales largas y breves.
5. Número de vocales que había en latín clásico.
7. Resultado al que llegaron en español las vocales latinas /e, o/ breves tónicas.
10. Término que designa las lenguas derivadas del latín.
11. Rasgo necesario para que las vocales latinas /i, u/ tónicas cambiaran a /e, o/.
12. Palabra que mantiene casi la misma forma fonética de su origen latino.
14. Región del norte de España donde surgió lo que hoy es la lengua española.
15. Vocal situada delante de la sílaba acentuada.
16. Nombre dado al latín popular de donde derivan las lenguas románicas.

VERTICALES:

2. Palabra popular derivada de la misma raíz que el cultismo *décimo*.
3. Nombre dado a la palabra que ha tenido cambios fonéticos a través del tiempo.
4. Palabra española derivada de la forma latina *alienu*.
6. Sonido palatal que tuvo gran influencia en la evolución fonética del español.
8. Vocal situada después de la sílaba acentuada.
9. Palabra española derivada de la latina *semper*.
11. Personas procedentes del norte de Europa que invadieron el territorio romano.
13. Palabra española derivada de la latina *virtute*.

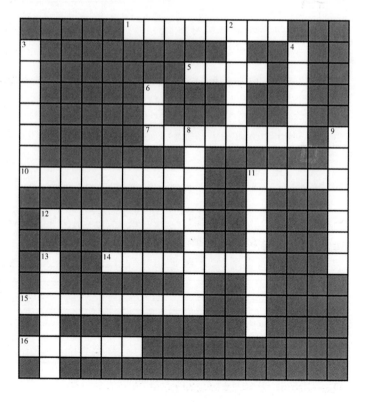

V.   Lea en voz alta y luego transcriba fonéticamente los siguientes textos:

5.A.   El hábito no hace al monje.

El hombre propone y Dios dispone.

Obras son amores y no buenas razones.

5.B.   La ortografía española mantuvo por tradición las letras *b* y *v*, que en latín respondían a una oposición con valor fonológico. Por esta razón, nuestra lengua respetó la grafía de las palabras con *b* o *v* según la tuvieran en su lengua de origen, como sucede en los casos de *abundancia, bimestre, bondad, beber, deber, haber, verdad, verbena* o *ventura*, que provienen de las latinas *abundantia(m), bimestre(m), bonitate(m), bibere, debere, habere, veritate(m), verbena(m)* o *ventura(m)*. No obstante, como en castellano antiguo *b* y *v*, distribuidas de modo distinto al actual, posiblemente sí respondían también a una distinción fonológica propia, perviven casos de *b* antietimológica (es decir, donde el uso se ha impuesto a la etimología), como *abogado, abuelo, barbecho, barrer* o *embaír*, procedentes de palabras latinas con *v*: *advocatu(m), aviolu(m), vervactu(m), verrere* o *invadere*. De la misma manera, hay palabras con grafía *v* procedentes de palabras con *b* latina, como *maravilla*, de *marabilia*; a estas excepciones podrían añadirse muchas más.

Un segundo grupo de palabras que por su origen se escriben con *b* es el de aquellas que en latín tenían *p* intervocálica, después sonorizada en *b*. Es el caso de *caber, saber, obispo, recibir* y *riba*, que proceden de *capere, sapere, episcopu(m), recipere* y *ripa(m)*.

(De *Ortografía de la lengua española*, de la Real Academia Española)

Capítulo XI

FONÉTICA GEOGRÁFICA

11.1 Preliminares

Parece natural que una lengua hablada por más de 350 millones de personas en una veintena de países presente diversidad de formas o de modalidades en su sintaxis, en su vocabulario y en su pronunciación.

En el campo fonético, resulta fácil percibir las diferencias que en la articulación de ciertos sonidos del español producen los hablantes de un país con relación a los de otro, e incluso los de una región frente a los de otra dentro del mismo país. Como ilustración puede pensarse en la /s/ final de sílaba, que se mantiene en unos lugares, pero que en otros se reduce a una aspiración faríngea, llegando incluso a omitirse (*esto, ehto, eto*); o en la /ĵ/ ("ye"), que se realiza con diferente grado de cierre y de tensión articulatoria según el país o la zona geográfica donde viva la persona.

Lógicamente, muchos sonidos son pronunciados sin mayor variación, de forma muy similar en todas partes y, en consecuencia, no constituyen elementos distintivos. Aquí solo se presentarán, de manera muy resumida, algunos de los rasgos diferenciales que caracterizan la pronunciación de cada uno de los países del mundo hispanohablante.

Hay que aclarar, por otra parte, que muchas de las características que de modo general se indican como propias de un país o de una región, no forman parte necesariamente del habla de todos y cada uno de sus habitantes. En el terreno de la actuación lingüística de las comunidades, no existe homogeneidad o uniformidad absoluta. Dentro de una misma zona, hay diferencias fonéticas motivadas por razones socioculturales y generacionales, entre muchas otras posibles.

11.2 España

La población aproximada de España se estima en poco menos de 40 millones de personas. Y aunque su territorio es menor que el de varios países americanos, hay quienes afirman que el español hablado en el interior de España presenta mayores diferencias de una región a otra que las que se encuentran entre los diversos países de Hispanoamérica. Sea o no exacta esta apreciación, el hecho es que no existe una, sino muchas modalidades de español peninsular, de las que aquí se describirán esquemáticamente solo dos: la utilizada en la zona norcentral y la propia de la región sur. A la gran diversidad del español en España, que se habla en todo el país, se añade también la situación de bilingüismo en diversas regiones donde el español alterna con el catalán, el gallego o el vasco.

La variedad castellana, en la región norcentral, es la más conservadora y prestigiosa. Es considerada por quienes adoptan un criterio prescriptivo y casticista, como la forma más pura y correcta de hablar el español.

La característica más importante y peculiar de esta modalidad española, conocida mejor como *castellano*, es la presencia o el mantenimiento del fonema interdental /θ/ (zeta). Sus hablantes distinguen así entre /s/ (*sumo*) y /θ/ (*zumo*). Otros rasgos fonéticos de este dialecto son la pronunciación apicoalveolar de la /s/, con elevación de la punta de la lengua y resonancia palatal; el mantenimiento de la /s/ en posición final de sílaba y de palabra; la presencia del fonema palatal lateral /λ/, es decir, la distinción entre /ʝ/ (*se cayó*) y /λ/ (*se calló*); la pronunciación tensa de la velar fricativa sorda /x/; la pérdida frecuente de la /d/ intervocálica postónica (*cansao* por *cansado*), sobre todo en el habla espontánea; la pronunciación de la /d/ final de palabra como zeta (*Madriz* por Madrid), especialmente en estilos informales y espontáneos.

Una variedad importante del español peninsular es la andaluza, en la región sur, que se distingue por rasgos como los siguientes: el seseo (con prestigio social) en unas zonas y el ceceo (sin prestigio) en otras; el yeísmo; la fricativización o relajamiento de la /č/, que muchos pronuncian como [š] (dicen *osho* en vez de *ocho*); la articulación de una /s/ predorsoalveolar o coronal, colocando la punta de la lengua hacia abajo; la aspiración y eliminación de la /s/ al final de sílaba y de palabra (*lah do*, por *las dos*; la pronunciación de la /x/ como un sonido aspirado [h]; la velarización de la /n/ final de palabra; la neutralización de las líquidas /r/ y /l/ finales de sílaba y de palabra en el habla popular y la pérdida frecuente de la /d/ intervocálica postónica en el habla espontánea.

11.3   Modalidades hispanoamericanas

Las diferencias fonéticas que se manifiestan en el español hablado en América son muchas. Sin embargo, un rasgo general que comparten todos los países hispanoamericanos en todos los niveles sociales es el *seseo*. Otros fenómenos, como la elisión de la /d/ intervocálica postónica, que se produce en proporciones menores a las verificadas en España, son igualmente comunes en todas las regiones americanas, sobre todo en el habla popular. Por eso, tales rasgos no son incluidos en la enumeración de las características fonéticas distintivas de cada país.

Tomando en cuenta determinados fenómenos, se han realizado muchos intentos de zonificar el español americano. La idea ha sido agrupar las regiones o los países que comparten unos rasgos fonéticos frente a los que no los comparten. Unos han llegado a la conclusión de que existen cinco regiones, otros plantean que son dieciséis y otros, que hay muchas más zonas lingüísticamente distintas. Una división global interesante es la que distingue entre tierras altas y tierras bajas, que algunos han caracterizado, de forma jocosa, según su régimen alimenticio: *las tierras altas se comen las vocales y las bajas se comen las consonantes*. De esta manera, en Bogotá, en La Paz, en México o en Quito se puede escuchar la palabra *entonces* como [eņtóns's], con una /s/ final muy tensa y larga, pero sin la /e/; en cambio, en Santiago de Chile, en Caracas, en La Habana o en Santo Domingo es común oír [eņtónse], con retención de la /e/, pero eliminando la /s/ final.

11.3.1 México

La población de México sobrepasa en la actualidad los 100 millones de habitantes. Esta cifra convierte a México, por mucho, en el país que concentra la mayor cantidad de hablantes de español en el mundo. Por su gran extensión geográfica y demográfica, es natural que haya en su territorio varias modalidades lingüísticas. Sin embargo, aparte del *seseo*, que es general en toda América, es también común en todo el país el *yeísmo*.

Desde el punto de vista fonético, el país se puede dividir en varias regiones dialectales. En la zona central, la de mayor población, que incluye a la ciudad de México, el habla culta presenta un sólido consonantismo que se revela en la conservación de los fonemas incluso en posición implosiva. Uno de los rasgos más notables de esa modalidad mejicana es el mantenimiento sistemático de una /s/ tensa en posición final de sílaba y de palabra. Otra característica importante es el relajamiento y la elisión de las vocales inacentuadas, sobre todo junto a /s/ (*ant's*, por antes; *camis's*, en lugar de *camisas*). También la frecuente diptongación de los hiatos /ea/, /eo/, /oa/, /oe/ en palabras como [tjátro], por *teatro*, o [pwéta], por *poeta*. Otros hechos son la pronunciación de la /x/ (jota) como fricativa y velar; el mantenimiento de la /n/ final de palabra como alveolar; y la pronunciación asibilada (parecida a una "ese") de la /r/ final de palabra ([salíř], por [salír]).

En cambio, la zona de la costa del Golfo se caracteriza por fenómenos como la aspiración y la elisión de la /s/ final de sílaba y de palabra; la velarización de la /n/ final de palabra; la pronunciación de la /x/ como aspirada [h]. En la zona de Yucatán se producen fenómenos como la pronunciación oclusiva de las sonoras /b,d,g/ en cualquier contexto, la bilabialización en [m] de la /n/ final de palabra: [pám] por "pan"; la pronunciación relajada de la /ĵ/; y la pronunciación de la /x/ como aspirada [h]. En la zona norte, por su parte, son comunes la pronunciación fricativa de la /č/, como [š] ("sh"), en el noroeste, y la articulación muy abierta y relajada de la /ĵ/ ([éja] por [éĵa]) en el nordeste y en Baja California.

11.3.2 América Central

Aunque algunos fenómenos son comunes a todos los países de esta región, en otros casos se manifiestan unas diferencias que la convierten en una zona lingüísticamente heterogénea.

Costa Rica

Su población actual se estima en cerca de 4 millones de personas. A pesar de ser un país pequeño, el español hablado en Costa Rica presenta una notable variedad de una zona geográfica a la otra, y se distingue claramente de las modalidades vecinas de Panamá y de Nicaragua.

Fonéticamente, algunas características generales son la pronunciación relajada, que llega a veces hasta la elisión, de la /ĵ/ intervocálica ([ajér] "ayer"), y la velarización de la /n/ cuando se encuentra en posición final de palabra.

En la zona del *Valle Central*, que concentra la mayor parte de la población en ciudades como San José, la capital, y Cartago, son fenómenos generales la conservación de la /s/ final de sílaba, la articulación alveolar africada del grupo tr, con [ř] asibilada, la pronunciación asibilada de la /r/ final de sílaba y de palabra y la pronunciación fricativa asibilada de la vibrante múltiple /ř/, como [ř].

En otras regiones, es común el mantenimiento de la vibrante múltiple alveolar /ř/, así como también la aspiración y la elisión de la /s/ final de sílaba y de palabra.

El Salvador

El país tiene una población estimada de unos 6 millones de personas, que es en su mayoría hablante de español como única lengua. A diferencia de Guatemala, por ejemplo, la presencia indígena en El Salvador es actualmente muy escasa.

En lo fonético, el español salvadoreño presenta fenómenos como la pronunciación relajada y elisión de la /ʝ/ intervocálica, la articulación oclusiva de /b,d,g/ después de consonantes no nasales, la velarización de la /n/ final de palabra, la aspiración y elisión de la /s/ final de sílaba y de palabra.

Guatemala

La población de Guatemala es de más de 12 millones y medio de habitantes. Sin embargo, una parte de esa población no habla español o lo habla como segunda lengua, ya que muchas personas tienen como materna alguna lengua indígena de la familia maya-quiché o de algún otro tronco.

Entre los rasgos fonéticos que caracterizan el español guatemalteco se pueden citar algunos como el mantenimiento muy frecuente de la /s/ final de sílaba y de palabra, la velarización de la /n/ final de palabra y la pronunciación de la /x/ como aspirada [h]. También son comunes la pronunciación relajada y elisión de la /ʝ/ intervocálica, la articulación alveolar africada del grupo tr, con [ř] asibilada, y la pronunciación fricativa asibilada de la vibrante múltiple /r̄/.

Honduras

La población estimada de Honduras es de poco más de 6 millones de habitantes. La gran mayoría de ellos solo habla español, porque la presencia indígena es escasa.

Entre los rasgos fonéticos más importantes del español hondureño se encuentran la pronunciación relajada, que llega a veces hasta la elisión, de la /ʝ/ intervocálica; la articulación oclusiva de /b,d,g/ después de consonantes no nasales; la velarización de la /n/ final de palabra y la pronunciación de la /x/ como aspirada [h]. Es frecuente también la aspiración y elisión de la /s/ final de sílaba y de palabra, que incluso se aspira en posición inicial de palabra, en casos como *la semana* [lahemána].

Nicaragua

Situada entre Hoduras y Costa Rica, Nicaragua tiene una población de poco menos de 5 millones de habitantes, y a diferencia de lo que pasa en algunos de los países vecinos, no existe mucha variación lingüística en el interior de sus fronteras.

Algunos de los rasgos fonéticos más destacados del español nicaragüense son la pronunciación relajada y la elisión de la /ʝ/ intervocálica, de forma que una palabra como *calle* aparece como *cae*; la velarización de la /n/ final de palabra; la aspiración y elisión frecuente de la /s/ final de sílaba y de palabra (*desde* > *dehde* > *dede*); así como la pronunciación de la /x/ como una débil aspirada [h].

Panamá

Con una población estimada de casi 3 millones de habitantes, Panamá comparte muchos rasgos lingüísticos con las islas del Caribe hispánico, a pesar de no formar parte geográficamente del conjunto antillano, sino de Centroamérica.

Desde el punto de vista fonético, una característica importante del español panameño es la aspiración y elisión frecuente de la /s/ final de sílaba y de palabra (*ehcuela* por *escuela*, *do* por *dos*). Como en todo el Caribe, este proceso está condicionado por una serie de factores sociolingüísticos, como el nivel de educación, el sexo y la edad. Otros rasgos compartidos también con el Caribe son la posteriorización o velarización de la /n/ final de palabra y la pronunciación relajada de la /x/ "jota" como aspirada [h]. En el habla de los grupos sociales más bajos, las líquidas /l/ y /r/ finales de sílaba se relajan y se neutralizan con relativa frecuencia. Por otra parte, parece haberse extendido en las últimas décadas el fenómeno de la fricativización o pronunciación floja de la /č/ "ch" intervocálica como [š] "sh" (*mushasho* en vez de *muchacho*).

11.3.3 El Caribe

Además del seseo y del yeísmo, absolutamente generales en toda la región, son muchos los rasgos fonéticos comunes a las tres grandes islas del Caribe hispánico. Por ese motivo, la mayoría de los investigadores las consideran como un bloque que constituye una zona lingüísticamente homogénea. Sin embargo, entre una y otra de las islas existen diferencias fonéticas de carácter cuantitativo y relativas a la entonación que permiten a los habitantes de cada una reconocer la procedencia de los de las otras dos.

Cuba

La población de Cuba, la mayor de las tres islas, sobrepasa los once millones de personas. Algunos de los rasgos fonéticos del español cubano son, entre otros, la aspiración y elisión frecuente de la /s/ final de sílaba y de palabra (*lunes* > *luneh* > *lune*), la velarización o posteriorización de la /n/ final de palabra, la pronunciación débil de la /x/ "jota" como aspirada [h] y la neutralización de la /r/ y la /l/ finales de sílaba, sobre todo en el habla popular. Este último fenómeno se realiza principalmente bajo la forma de una asimilación a la consonante siguierte: *carta* > *cat-ta*.

Puerto Rico

La población de Puerto Rico, la menor de las islas del Caribe hispánico, es de poco menos de 4 millones de personas. Aunque el país no es un ejemplo de bilingüismo, como creen muchos, el español puertorriqueño ha recibido mayor influencia del inglés que el de las otras islas debido a su especial situación política con respecto a los Estados Unidos. Hasta hace pocos años, junto al español, el inglés también era lengua oficial de la isla.

En el terreno fonético, algunos de los rasgos más sobresalientes son la aspiración y elisión de la /s/ final de sílaba y de palabra, la velarización de la /n/ final de palabra, la pronunciación de la /x/ "jota" como aspirada [h]. Es también notable el fenómeno de la lateralización o conversión a [l] de la /r/ final de sílaba y de palabra, sobre todo en el habla popular: [tálde] por *tarde*, [komél] por *comer*. Otros hechos conocidos son la velarización de la /r̄/ "erre", que resulta en un sonido parecido a una [x] "jota" castellana, especialmente en el habla popular, y la pronunciación de la consonante /č/ "ch" de manera relajada, como fricativa [š] "sh".

República Dominicana

La República Dominicana es el segundo país del Caribe, no solo por el tamaño de su territorio, sino por el de su población, que se estima en 8 millones de personas. Ocupa dos terceras partes de la isla de la Española, al este de Haití, con quien comparte una frontera de 275 km.

Algunos de los rasgos fonéticos más sobresalientes del español dominicano son la aspiración y elisión muy frecuente de la /s/ final de sílaba y de palabra, la velarización o posteriorización de la /n/ final de palabra, la pronunciación relajada de la /x/ "jota" como aspirada [h]. En los niveles sociales bajos, es particularmente frecuente el fenómeno de la neutralización de la /r/ y la /l/ en posición final de sílaba y de palabra. Este hecho permite dividir el país en zonas dialectales, ya que la confusión se manifiesta en forma de [l] en la Capital (*puelta* por puerta); de [r] en el suroeste (*úrtimo* por último); de una asimilación a la consonante siguiente en el este (*puetta* por puerta, *fadda* por falda); y de una semivocal anterior [i̯] en el norte (*pueita* por puerta, *faida* por falda).

11.3.4 América del Sur

Es lógico que la inmensidad y la diversidad territorial de los países de habla española en el Continente, donde hay tierras altas y tierras bajas, vaya acompañada por una gran variedad fonética. Existen zonas de consonantismo tenso y zonas donde es frecuente la reducción consonántica; muchos lugares donde el yeísmo es general en todos los sectores sociales, y algunos en los que aún se conserva la distinción entre ʝ/ y /λ/.

Argentina

Aunque en cuanto a población, de aproximadamente 37 millones de personas, no es el primero, Argentina es por mucho el país hispanoparlante de mayor extensión territorial. Es lógico, por tanto, que el español hablado a lo largo de su geografía exhiba una gran variedad dialectal.

Entre los rasgos fonológicos relativamente generales en el país, debe citarse la aspiración y elisión moderada de la /s/ final de sílaba y de palabra que no alcanza los elevados índices de reducción que se registran en zonas como el Caribe. También es general el mantenimiento de la /n/ final de palabra como alveolar. La mayor parte del país practica el *yeísmo* (pronuncia la elle como ye), excepto la región nordeste y la andina del norte, que conservan la /λ/ (elle).

Sobre todo en la región litoral-pampeana, que incluye a Buenos Aires, y en la noroeste, es general la pronunciación rehilada de la ʝ/ (ye), que se manifiesta con un sonido producido con un zumbido o vibración adicional de aire, (yo = [žo]. Este sonido, en tiempos más recientes, ha perdido la sonoridad y se pronuncia sordo, como [š] "sh" (yo = [šo]. Se trata de un cambio en marcha impulsado especialmente por los jóvenes y por las mujeres de los grupos sociales altos. Otro de los rasgos de gran alcance es la realización fricativa asibilada (parecida a /s/) de la /r̄/ (erre) en gran parte del norte y del centro del país. En Buenos Aires y en el resto de la zona litoral-pampeana se mantiene la vibrante múltiple /r̄/.

Bolivia

La población de Bolivia alcanza aproximadamente los 8 millones de personas. De manera similar a lo que ocurre en todas partes, existen en el país diversas modalidades de español según la región.

Entre los rasgos más importantes que caracterizan la pronunciación del español boliviano puede citarse la velarización de la /n/ final de palabra. Otros fenómenos están muy generalizados y a menudo se consideran propios de todo el país por ser usuales en la zona andina, que comprende la capital y otras ciudades donde se concentra la mayor parte de la población. Uno de los rasgos fonológicos de esta zona es la conservación del fonema /λ/ (elle), lo que equivale a decir que funciona la distinción entre ɟ/ (ye), *hoya*, y /λ/ (elle), *olla*. La /s/ final de sílaba y de palabra se mantiene.

Por otra parte, se produce el relajamiento y la caída de las vocales no acentuadas, especialmente junto a /s/ (*lunes* puede aparecer como [lún's]). La pronunciación de la /r̄/ (erre) se convierte en fricativa asibilada, como [r̝], con un sonido parcialmente similar al de la /s/. El grupo de consonantes /tr/ presenta una pronunciación africada o asibilada. También se da el mantenimiento de la /x/ (jota) como fricativa velar. Es frecuente el debilitamiento y la elisión de la /ɟ/ (ye) intervocálica (*ayer* = aiér). En lugares del *este* y del *sur*, sin embargo, se mantiene la vibrante múltiple alveolar /r̄/ y se da el yeísmo. La aspiración y elisión de la /s/ final de sílaba ocurre sobre todo en el este.

Chile

La población de Chile sobrepasa los 15 millones de habitantes, distribuidos desigualmente a través de sus más de 6,000 kilómetros de longitud.

Entre los aspectos fonológicos más notables del español chileno se cuentan el *yeísmo*, o pronunciación como ɟ/ (ye) del fonema /λ/ (elle), el mantenimiento de la /n/ final de palabra como alveolar, y la aspiración y elisión de la /s/ final de sílaba y de palabra (*loh amigo*, en vez de *los amigos*). También es un rasgo importante de la pronunciación chilena la articulación muy adelantada, palatal, de /k, g, x/ ante las vocales anteriores /e, i/, de forma que parece oírse una [i] entre las dos (*mujer* = [muxjér]). Por otra parte, es muy frecuente la pronunciación alveolar africada del grupo tr, con [ř] asibilada, lo que da como resultado que una palabra como *otro* suene un poco como *ocho* a los oídos de los hispanos no familiarizados con el fenómeno. Otros hechos comunes sobre todo en el habla popular son la pronunciación asibilada (parecida a /s/) de la /r̄/ (erre), como [ř], y la articulación fricativa de la /č/ (che), como [š]: Chile = [shíle].

Colombia

Colombia es el segundo país hispanoamericano, detrás de México, en cuanto a número de habitantes, con una población estimada de unos 40 millones de personas.

El español colombiano manifiesta una gran variedad que de acuerdo con la pronunciación de la /s/ puede clasificarse en dos grandes dialectos: uno que conserva de manera sistemática la /s/ final de sílaba y de palabra, correspondiente a la *zona andina interior*, y otro donde se aspira y se elide la /s/, correspondiente a las *tierras costeras o bajas*. Otros fenómenos propios de la primera zona son, además, la articulación más o menos frecuente de una /s/ de tipo apicoalveolar, el relajamiento y elisión de las vocales átonas, sobre todo junto a /s/, la aspiración de la /s/ inicial de sílaba en ciertos casos ([hemana] en vez de [semana]), el mantenimiento de la /n/ final de palabra como alveolar, la pronunciación de la /x/ (jota) como aspirada débil [h] y el yeísmo, aunque subsisten restos de /λ/ (elle) en algunas zonas andinas.

En la *costa atlántica*, sin embargo, además de la aspiración y elisión moderada de la /s/ final de sílaba y de palabra, es común la velarización de la /n/ final de palabra, la pronunciación de la /x/ como aspirada débil [h] y la neutralización de r/l en el habla popular.

Ecuador

La población estimada de Ecuador es de casi 13 millones de personas. Dentro de la relativa pequeñez territorial del país, el español hablado por sus habitantes exhibe una notable variación según la zona geográfica donde vivan. Aunque en realidad existen tres regiones lingüísticas que se corresponden fundamentalmente con las divisiones naturales creadas por la Cordillera de los Andes, para simplificar solo se hará referencia aquí a dos: la *costa*, entre la Cordillera Oriental de los Andes y el Océano Pacífico, y la *Sierra*, una elevada meseta enclavada en medio de la doble cordillera andina.

En *la Sierra*, donde se encuentra la capital, la pronunciación se caracteriza por el mantenimiento sistemático de la /s/ al final de sílaba y de palabra, con tendencia a sonorizarse cuando se enlaza con la vocal inicial de la palabra siguiente [lazótras] *las otras*. También es general en la zona, el mantenimiento de la /x/ como fricativa velar. La vibrante múltiple /r̄/ presenta con frecuencia una pronunciación asibilada, como [r̃]. Por otra parte, se mantiene la distinción entre /ʃ/ y /λ/, pero realizando la segunda a menudo como [ž]. Es asimismo común en esta región el relajamiento y la desaparición de las vocales átonas, sobre todo junto a /s/ [súkrs] *sucres*.

En *la costa*, en cambio, son normales el yeísmo, la aspiración y elisión de la /s/ final de sílaba y de palabra, la velarización de la /n/ final de palabra y la pronunciación de la /x/ como aspirada débil [h].

Paraguay

En la actualidad, la población estimada de Paraguay es de unos 5 millones y medio de habitantes. Se trata de un país con una situación de bilingüismo relativamente compleja. En las ciudades, y de manera especial en Asunción, la mayoría de las personas son bilingües en guaraní y en español, poco más del 20% habla solo español y muy pocos son monolingües en guaraní. Sin embargo, en las zonas rurales predomina la población que es monolingüe en guaraní (un 60%), una tercera parte de la gente es bilingüe y menos del 10% habla solo español.

En el nivel fonético-fonológico, algunos de los rasgos más importantes del español hablado en el país son el mantenimiento generalizado de la distinción entre /ʃ/ y /λ/, y la aspiración, y elisión en el habla popular, de la /s/ implosiva. Son, además, comunes la pronunciación labiodental de la /b/ como [v], el mantenimiento de la /n/ final de palabra como alveolar, la articulación relajada y elisión de las sonoras /d,g/ intervocálicas, la articulación africada de la /ʃ/, como [ɟ], en cualquier posición, y la pronunciación asibilada de la /r̄/, como [r̃], en el habla popular.

Perú

La población de Perú se estima en unos 27 millones de personas. Dentro de su territorio existen varias modalidades dialectales que corresponden fundamentalmente a la diferencia entre tierras bajas (o costeras) y tierras altas (zona andina).

En el nivel fonético-fonológico, algunas de las características presentes en *la costa* son el yeísmo o pronunciación de la *elle* como *ye*, la aspiración y elisión de la /s/ final de sílaba y de palabra, la realización de la /x/ (jota) como aspirada débil [h], la velarización de la /n/ final de palabra y la articulación relajada, llegando a veces a la elisión, de /b, d, g, ɟ/ intervocálicas.

En la *zona andina*, por su parte, es común el mantenimiento, aunque no constante, de la distinción entre /ɟ/ (ye) en *hoya* y /λ/ (elle) en *olla*; la conservación de la /s/ implosiva, de tipo apicoalveolar; el relajamiento y la elisión de las vocales inacentuadas, sobre todo junto a /s/; la articulación de la /x/ (jota) como fricativa velar. Otros fenómenos también frecuentes son la pronunciación asibilada (parecida a /s/) de la /r̄/ (erre), como [ř], y la velarización de la /n/ final de palabra. Entre hablantes de nivel popular influidos por el quechua, es común el cambio de [e] en [i] y de [o] en [u] (*mesa = misa, cosa = cusa*).

Uruguay

La población de Uruguay se estima en poco más de 3 millones de habitantes. Al contrario de la creencia generalizada, el país no muestra una completa homogeneidad lingüística. La diferenciación más notable se crea entre la región norte, en contacto con el portugués, y la región sur, donde se encuentra Montevideo, la capital.

En el aspecto fonológico, la modalidad imperante en la capital, donde vive la mitad de la población del país, presenta como rasgo más peculiar la pronunciación rehilada de la /ɟ/ (ye), como [ž], a menudo ensordecida [š] (*yo = [sho]*), siguiendo el mismo patrón de Buenos Aires. También son generales la aspiración y la elisión moderada de la /s/ final de sílaba y de palabra, así como el mantenimiento de la /n/ final de palabra como alveolar. La consonante /x/ (jota) es pronunciada como fricativa velar. El yeísmo es general en todo el país.

Venezuela

Venezuela tiene una población aproximada de 23 millones de habitantes. Desde el punto de vista dialectal, el país se divide fundamentalmente en dos grandes regiones: la andina, donde es normal el mantenimiento de las consonantes, y la caribe, donde se produce el debilitamiento y elisión de ciertas consonantes finales de sílaba. En la actualidad, sin embargo, el prestigio de la variedad capitalina contribuye a difundir en la región andina muchos de los rasgos caracterizadores de la zona caribeña, a la que pertenecen los dos centros urbanos mayores del país, Caracas y Maracaibo.

Algunos rasgos fonético-fonológicos importantes de esta región son la pronunciación de la /x/ (jota) como aspirada débil [h], la aspiración y elisión de la /s/ final de sílaba y de palabra, y la velarización de la /n/ final de palabra. El yeísmo es general en el país, aunque subsisten algunos restos de /λ/ (elle) en zonas andinas. En el habla popular, son comunes la neutralización o confusión de /r/ y /l/ finales de sílaba en la región caribeña y la asibilación (pronunciación similar a /s/) de la /r/ en algunas zonas andinas del país.

11.4   Estados Unidos

La procedencia de la numerosa y creciente población hispana que vive en los Estados Unidos, estimada en más de 35 millones, es muy diversa. Por eso es comprensible que el español hablado en esas comunidades no sea homogéneo, sino que exhiba las modalidades correspondientes a las regiones de origen de los inmigrantes. Aunque en la actualidad hay grupos de hispanos en todos los estados del país, las mayores concentraciones se encuentran en Nueva York, con predominio de puertorriqueños y de dominicanos; en La Florida, con mayoría de cubanos; en los estados fronterizos con México (Arizona, California, Nuevo México y Tejas), donde predominan los mexicanos y los centroamericanos.

A continuación se enuncian algunos rasgos que están presentes en ciertas zonas, aunque a veces no son absolutamente generales.

En la *zona suroeste*, donde hay un predominio de hispanos procedentes de México y Centroamérica, son comunes rasgos como la relajación y la elisión de la /ĵ/ intervocálica, la pronunciación frecuente del fonema /b/ como labiodental, la fricativización frecuente de la /č/ (>sh), la pronunciación fricativa y asibilada de la /r̄/ en algunas zonas y el mantenimiento de la /s/ implosiva en Arizona, California y Tejas.

En las *zonas del este*, con predominio de inmigrantes provenientes del Caribe, es normal la aspiración y elisión frecuente de la /s/ final de sílaba y de palabra, la articulación aspirada débil de la /x/ como [h], la velarización de la /n/ final de palabra y la neutralización frecuente de la /r/ y la /l/ implosivas.

EJERCICIOS DEL CAPÍTULO XI

I. Seleccione la mejor respuesta:

1.1 Un fenómeno general en todos los países hispanoamericanos es:
   a. el yeísmo
   b. la aspiración de la /s/ implosiva
   c. el seseo
   d. la velarización de la /n/ final

1.2 La articulación alveolar africada de tr, con [ř] asibilada, se da en:
   a. Colombia
   b. Chile
   c. Cuba
   d. Uruguay

1.3 Una zona que mantiene la articulación velar fricativa de /x/ es:
   a. la costa de Ecuador
   b. Guatemala
   c. República Dominicana
   d. la región andina de Perú

1.4 Un rasgo generalizado en varios países de América Central es la:
   a. conservación de la /x/ como velar fricativa
   b. neutralización de r/l al final de sílaba
   c. pronunciación relajada y elisión de la /ĵ/ intervocálica
   d. elisión de las vocales inacentuadas junto a /s/

1.5 La pronunciación apical de la /s/ es un rasgo exclusivo del español de:
   a. Colombia
   b. España
   c. Costa Rica
   d. ninguna de las anteriores

1.6 Son rasgos de la pronunciación andaluza:
   a. la pérdida de la /d/ intervocálica y la articulación apical de /s/
   b. el yeísmo, la velarización de la /n/ final y la fricativización de /č/
   c. el seseo, la asibilación de la /r/ y la caída de las vocales átonas
   d. ninguna de las anteriores

1.7 En la zona central de México, son comunes:
   a. la caída de vocales átonas y el mantenimiento de la /s/ implosiva
   b. la conservación de la /s/ implosiva y la velarización de la /n/ final
   c. la pronunciación fricativa de la /č/ y la asibilación de la /r/
   d. el mantenimiento de la /n/ final alveolar y de la palatal lateral /λ/

1.8 La distinción entre /ĵ/ y /λ/ *no se produce* en:
   a. Ecuador
   b. Bolivia
   c. Paraguay
   d. Uruguay

1.9 En el español hablado en el suroeste norteamericano, es frecuente la:
   a. elisión de la /s/ implosiva
   b. elisión de la /ĵ/ intervocálica
   c. velarización de la /n/ final de palabra
   d. neutralización de r/l

1.10 El español hablado en los países del Caribe se caracteriza por:
   a. la pronunciación de /x/ como aspirada [h] y el ceceo
   b. el yeísmo, la aspiración y la elisión de la /s/ implosiva
   c. la neutralización de r/l y la elisión de las vocales átonas
   d. el seseo, la velarización de /n/ final y la conservación de /s/ final

II. ¿Cree usted que la diversidad fonética descrita dificulta la comprensión
    y permite anunciar una división futura del español en varias lenguas?

_____

_____

_____

III. Señale algunas de las diferencias fonéticas existentes entre el español
     de la costa atlántica de Colombia y el de la región serrana de Ecuador.

_____

_____

_____

IV. CRUCIGRAMA 11

HORIZONTALES:
1. Tipo de /r̄/ que se escucha en el español popular de Puerto Rico.
5. Mayor país hispano en cuya zona central se asibila la /r/ final de sílaba.
7. Zona de Ecuador donde se aspira y se elide la /s/ implosiva.
9. Proceso que experimenta la /s/ final en el Caribe antes de ser eliminada.
10. La mayor de las islas del Caribe.
11. País de América Central donde /b,d,g/ son oclusivas después de consonantes no nasales.
14. País donde es frecuente la pronunciación de la /ǰ/ como una fricativa sorda [š].
16. País de América Central fonéticamente más parecido a los del Caribe que a sus vecinos.
18. En su zona andina es frecuente la articulación asibilada de la /r̄/ y el debilitamiento y elisión de la /ǰ/ intervocálica.
19. En su costa hay relajamiento y elisión frecuente de las sonoras /b,d,g,ǰ/ intervocálicas.

VERTICALES:
2. Tipo de /s/ propio del norte de España y de zonas altas de Colombia y Perú.
3. Único fenómeno fonológico general en todos los países hispanoamericanos.
4. Único país donde se conserva la pronunciación de la interdental /θ/.
6. País donde es común la articulación palatal de /k,g,x/ delante de vocales anteriores.
8. Fenómeno que se da donde la gente habla dos lenguas, como el español y el quechua.
12. Región de México donde la /n/ final de palabra se bilabializa en [m].
13. País de América del Sur donde es general el mantenimiento de la /λ/.
15. Proceso de pérdida que experimenta la /s/ en países como los del Caribe.
17. Variedad del español en el sur de España donde hay seseo y ceceo.

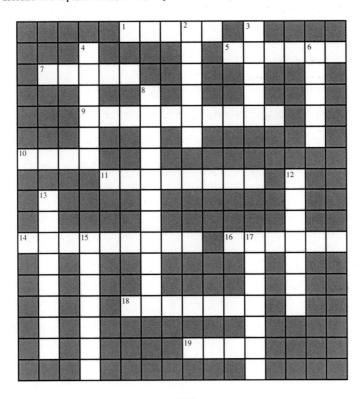

223

V. Lea en voz alta y luego transcriba fonéticamente el siguiente texto:

Es indudable que ese contraste tan radical entre tierras altas y tierras bajas no se debe a razones climatológicas. Las tierras bajas han sido colonizadas predominantemente por gentes de las tierras bajas de España, sobre todo de Andalucía, y tienen más bien impronta andaluza. Las tierras altas tienen más bien sello castellano, y su consonantismo tenso, a veces enfático, manifiesta la influencia de las lenguas indígenas: las grandes culturas americanas fueron culturas de las mesetas, y sus lenguas se caracterizaban precisamente por la riqueza del consonantismo implosivo.

Las diferencias llegan a su carácter extremo en ciertas regiones y en ciertas capas sociales. Se borran o se suavizan en los sectores cultos, que mantienen en general la integridad del vocalismo y aun del consonantismo. Si esas diferencias dan su carácter al habla regional, no afectan a la unidad del castellano general de América. El hablante de cualquier región hispánica que se desplaza por las otras regiones se siente en un primer momento desconcertado ante una serie de rasgos fonéticos diferenciales del habla popular, entre ellos la entonación y el tempo, y hasta dice: "No entiendo nada". Unos días de reacomodación le demuestran que lo entiende todo.

(Fragmento de *El castellano de España y el castellano de América*,
de Ángel Rosenblat)

SOLUCIÓN DE LOS EJERCICIOS

Capítulo I (pág. 22)

I. En primer lugar, los sonidos pueden ser producidos de manera natural, utilizando los órganos del cuerpo y el aire. Por otra parte, se pueden percibir desde cualquier dirección e incluso en la oscuridad.

II. La Fonética y la Fonología son muy similares: ambas estudian los sonidos lingüísticos. Pero se diferencian porque la primera los estudia en cuanto realidades materiales y la segunda los analiza desde el punto de vista de su funcionamiento.

III. La utilidad de la Fonética se manifiesta en varias áreas, como son la enseñanza de la dicción y el aprendizaje de lenguas extranjeras.

IV. La fonética combinatoria estudia los cambios que experimentan los sonidos al encadenarse unos a otros para formar unidades mayores.

Capítulo II (págs. 33-35)

I. 1.1: a;   1.2: c;   1.3: b;   1.4: c;   1.5: b;   1.6: c;   1.7: d;   1.8: b;   1.9: c;   1.10: d.

II. Al salir durante la espiración, el mismo aire ya empleado en la respiración es reciclado y reutilizado en la producción de los sonidos.

III. 1: boca;   2: tráquea;   3: pulmones;   4: diafragma;   5: fosas nasales;   6: faringe;   7: laringe;   8: bronquios.

IV. alvéolos: 3;   ápice: 8;   dientes: 2;   labio: 1;   paladar: 4;   pared faríngea: 10;   velo: 5;   úvula: 6.

Capítulo III (págs. 52-56)

I. 1.1: V;   1.2: F (sonoras); 1.3: V;   1.4: F (lugar);   1.5: V;   1.6: V;   1.7: V;   1.8: V;   1.9: V;   1.10: F (unido).

II. Sí, porque más del 60% de las consonantes se articulan en la pequeña zona comprendida entre los labios y los alvéolos, que no representa ni una tercera parte de la cavidad bucal.

III. 3.1: b;   3.2: c;   3.3: b;   3.4: a;   3.5: a;   3.6: c;   3.7: b;   3.8: b;   3.9: c;   3.10: a.

IV. 4.1.a: pelo, vicio;   4.1.b: calle, gato;   4.1.c: sala, lado;
4.1.d: queso, palo;   4.1.e: tanque, dulce.
4.2.a: pan, papel;   4.2.b: aquí, tabú;   4.2.c: tribu, eco, bambú.

V. /k/: 6;   /s/: 4;   /m/: 5;   /t/: 3;   /ǰ/: 7;   /f/: 8;   /n/: 2;   /č/: 1.

VI. 6.1: f, g, ǰ;   6.2: l, ǰ, u;   6.3: t, r, m;   6.4: n, s, n.

VII.   7.1: [ɲ];   7.2: [x];   7.3: [b];   7.4: [e]

Capítulo IV (págs. 72-76)

I.   1.1: c;   1.2: b;   1.3: d;   1.4: a;   1.5: a;   1.6: c;   1.7: b;   1.8: a;   1.9: b;   1.10: d.

II.   [s] > [f];   [m] > [ɲ];   [g] > [b];   [o] > [u];   [k] > [g];
[p] > [k];   [l] > [r];   [b] > [m];   [e] > [o];   [f] > [θ].

III. 3.1: ɲ;   3.2: g;   3.3: b;   3.4: u;   3.5: i.

IV. 4.A.1: maleta;   4.A.2: codo;   4.A.3: perra;   4.A.4: mano;
4.A.5: seria;   4.A.6: pata;   4.A.7: mueve;   4.A.8: pico.
4.B.1: macho;   4.B.2: peña;   4.B.3: carta;   4.B.4: masa;
4.B.5: rosa.

V. Los fonemas /f/ y /s/ tienen una distribución equivalente parcial.
/f/: # ___ V (fácil)   /s/: # ___ V (silla)
     # ___ CV (flojo)   V ___ $CV (mis-mo)
     V ___ V (café)   V ___ V (casa)
     C$ ___ V en-fermo   C$ ___ V (can-sado)
     V$ ___ CV (o-frecer)   VC ___ $CV (ins-ta-lar)
                                             V ___ # (dos)

VI. 6.1: P; 6.2: P; 6.3: P; 6.4: P; 6.5: I; 6.6: P; 6.7: I; 6.8: P

VII. Si cada fonema estuviera en distribución complementaria con los demás, solo podrían formarse unas cuantas palabras y no la cantidad de miles que se necesitan para una comunicación efectiva.

VIII. La neutralización implica una relación entre dos fonemas que se confunden en ciertos contextos, pero que se oponen en otros. En cambio, la variación libre se produce generalmente entre alófonos de un mismo fonema. Otras veces, es el *resultado* de la neutralización de dos fonemas en un contexto particular.

Capítulo V (págs. 93-94)

I. 1.1: [č]; 1.2: [i̯]; 1.3: [ŋ]; 1.4: [w]; 1.5: [β]

II. 2.1: cachucha; 2.2: rasguño; 2.3: antiguo; 2.4: cincuenta; 2.5: envidioso; 2.6: horrible; 2.7: quinientos; 2.8: vanguardia; 2.9: exclusivo; 2.10: refugiado.

III. 3.1: [w]; 3.2: [j]; 3.3: [β]; 3.4: [i̯]; 3.5: [g]; 3.6: [ð]; 3.7: [r̄]; 3.8: [ş]; 3.9: [ŋ]; 3.10: [k].

IV. 4.1: [nóðéxesparamãɲána| lokepwéðesasérói̯ | |]
       4.2: [r̄ekwérðelálmaðormíða| kómosepásalaβíða| |]

VII. En algunos casos, es cierto que la forma ortográfica coincide con la transcripción fonológica, como en "túnel" = /túnel/. Pero en otros no, como en "lluvia" = /λúbia/ o /ǰúbia/.

Capítulo VI (págs. 109-111)

I. 1.1: c; 1.2: b; 1.3: d; 1.4: d; 1.5: c; 1.6: c; 1.7: c; 1.8: b; 1.9: c; 1.10: d.

II. En la palabra *leía* no hay un triptongo, sino dos hiatos: e-í, í-a. Esa palabra tiene, por tanto, tres sílabas, no una. Para que haya triptongo, una vocal no alta (a, e, o) debe estar situada en el centro del grupo con una alta (i, u) a cada lado.

III. En español, la diferencia fonológica más importante entre las vocales y las consonantes es que las primeras constituyen el núcleo de la sílaba y las segundas solo pueden aparecer en las posiciones marginales.

IV. 4.1: /u/;   4.2: /a/;   4.3: /o/;   4.4: /i/.

Capítulo VII (págs. 133-136)

I.   1.1: V; 1.2: F (sin); 1.3: F (no); 1.4: V; 1.5: V; 1.6: V; 1.7: F (mayor); 1.8: V; 1.9: F (siempre); 1.10: V;   1.11: F (alveolar);   1.12: F (sonoros).

II.   2.1: c;   2.2: c;   2.3: a;   2.4: c;   2.5: c;   2.6: c;   2.7: b; 2.8: a;   2.9: b;   2.10: b.

III. De hecho, la única nasal que aparece con regularidad al final de sílaba es la /n/. Cuando lo hace, se ajusta, se acomoda al contexto adoptando el lugar de articulación de la consonante siguiente. En tal sentido, vale decir que es como Vicente: se deja llevar por el sonido siguiente.

IV. Los fonemas vibrantes /r/ y /r̄/ solo se oponen entre sí cuando están entre vocales (coro - corro). En las demás posiciones se neutralizan, pierden su valor diferenciador. Por eso no es posible distinguir, en cuanto al significado, entre [kolór] y [kolór̄], ni entre [r̄ósa] y [rósa].

V.   5.1: [β];   5.2: [ŋ];   5.3: [l];   5.4: [θ]; 5.5: [f];   5.6: [γ].

Capítulo VIII (págs. 157-160)

I.   1.a: 7;   1.b: 1;   1.c: 8;   1.d: 11;   1.e: 9;   1.f: 11; 1.g: 10; 1.h: 5;   1.i: 9;   1.j: 3;   1.k: 11;   1.l: 1;   1.m: 6; 1.n: 9;   1.ñ: 4;   1.o: 5;   1.p: 2;   1.q: 6;   1.r: 7;   1.s: 3.

II.   2.1: c;   2.2: c;   2.3: c;   2.4: c;   2.5: d;   2.6: c;   2.7: c;   2.8: d; 2.9: c;   2.10: d;   2.11: d;   2.12: d;   2.13: c.

III. La /s/ de *silla* se encuentra al inicio de sílaba, que es una posición en la que aumenta la tensión articulatoria y la intensidad; en cambio, la de *mismo* está al final, donde hay una disminución de la energía, lo que facilita el cambio y hace que los sonidos sean más susceptibles a la influencia que sobre ellos ejercen los otros.

IV. 4.1: ta-ci-tur-no;   4.2: ru-ti-lan-te;   4.3: in-grá-vi-do;
4.4: es-ter-tor;   4.5: obs-tru-yen-te;   4.6: ob-ce-ca-do;
4.7: abs-te-mio;   4.8: dis-pen-dio.

V. 5.1: I;   5.2: P;   5.3: I;   5.4: P;   5.5: P;   5.6: P.

VI. 6.1: [notísjaléɣre];   6.2: [dósoníðos];   6.3: [akél:uɣár];
6.4: [séȷo̯au̯téŋtiko];   6.5: [silénsjo̯elokwéŋte];
6.6: [mjáu̯to];   6.7: [nĩɲo̯eu̯ropéo];   6.8: [són:wéβe].
6.9: [seŋtróðetárðenelr̄ío|
   lasakómwértae̯|doktór|
   díseŋkemurjóðefrío|
   Jósékemurjóðe̯amór| |]

Capítulo IX (págs. 176-178)

I.   1.1: c;   1.2: c;   1.3: b;   1.4: d;   1.5: b;   1.6: b;   1.7: c;   1.8: c;
1.9: d;   1.10: d;   1.11: d;   1.12: a.

II.   2.1: en, cuanto, lo, te, por;   2.2: nos, que, el, donde;
3.3: me, cuando, porque, como.

III. En sentido estricto, es cierto que el español prohíbe las llamadas palabras sobresdrújulas. Tales palabras solo son posibles en casos especiales de formas compuestas, como *mándaselo*, que más que una palabra es una oración analizable en sujeto, predicado, objeto directo. Una prueba de que el español no admite ese tipo de palabra es el caso de *régimen*, que en plural cambia el lugar de su acento, *regímenes*, para ajustarse a una estructura acentual aceptable.

Capítulo X (págs. 195-201)

I.   1.1: amōrem;   1.2: hĕrbam;   1.3: acūtum;   1.4: pŏrtam;
1.5: cŏrnu;   1.6: vĕneris;   1.7: formīcam;   1.8: catēnam;
1.9: gŭttam;   1.10: capĭllum.

229

II. 2.1: hilo; 2.2: siete; 2.3: fuego; 2.4: juego; 2.5: ocho;
2.6: amigos; 2.7: pulga; 2.8: ajeno; 2.9: leche; 2.10: voz;
2.11: codo; 2.12: bebe; 2.13: hoy; 2.14: cierto; 2.15: liebre;
2.16: flor; 2.17: señor; 2.18: ribera; 2.19: escrito;
2.20: hijo; 2.21: navegar; 2.22: lado; 2.23: lomo; 2.24: contar.

IV. 4.1: ahijado; 4.2: escuchar; 4.3: colocar; 4.4: coagular;
4.5: contar; 4.6: delgado; 4.7: duplicar; 4.8: estricto;
4.9: entero; 4.10: laborar; 4.11: lego; 4.12: logro;
4.13: lumbrera; 4.14: masticar; 4.15: obrar; 4.16: plano;
4.17: recuperar; 4.18: redondo; 4.19: ruptura; 4.20: vengar.

V. 5.1: b; 5.2: c; 5.3: c; 5.4: b; 5.5: d; 5.6: c; 5.7: c; 5.8: b;
5.9: c; 5.10: a; 5.11: d; 5.12: a; 5.13: b; 5.14: c.

VI. Entre los efectos más notables de la yod se pueden mencionar estos:
a.   la /e/ y la /o/ breves y acentuadas, que regularmente diptongaban, no lo hicieron delante de yod.
b.   la /i/ y la /u/ breves y acentuadas, que regularmente cambiaban a /e/ y /o/, se conservaron cuando iban seguidas por una yod.

Capítulo XI (págs. 221-222)

I.   1.1: c; 1.2: b; 1.3: d; 1.4: c; 1.5: d; 1.6: b; 1.7: a;
1.8: d; 1.9: b; 1.10: b.

II. Las diferencias fonéticas existentes entre los países hispanohablantes son superficiales. No impiden ni dificultan la intercomprensión. Además, el aumento de la comunicación por diversos medios (radio, televisión, internet), contribuye a mantener la unidad de la lengua.

III. Algunas diferencias fonéticas muy notables entre el español de la costa atlántica de Colombia y el de la región serrana de Ecuador son:
a.   en la costa atlántica de Colombia se producen la aspiración y la elisión de la /s/ implosiva, el yeísmo, la velarización de la /n/ final de palabra y la pronunciación de la /x/ como aspirada [h].
b.   en la zona serrana de Ecuador se mantiene la pronunciación de la /s/ final de sílaba y de palabra, la /x/ se conserva como velar fricativa y no hay yeísmo, es decir, se distingue la /ʃ/ de la /λ/.

GLOSARIO

Se presenta aquí una selección de los términos importantes contenidos en el libro. Solo se da una breve descripción, a veces incompleta, del concepto que dentro del texto aparece en la página a la que remite el número puesto entre paréntesis.

acento: (165)
> aumento de tono, intensidad y duración que destaca una sílaba entre otras.

acento enfático: (166)
> el que se realiza sobre una sílaba normalmente inacentuada para resaltar una idea o por cualquier otro motivo.

acento fijo: (168)
> el que, en ciertas lenguas, cae siempre en una misma posición de la palabra.

acento libre: (168)
> el que, en ciertas lenguas, puede recaer en diferentes posiciones de la palabra.

actuación lingüística: (14)
> actividad individual de producir y entender mensajes lingüísticos.

aféresis: (143)
> eliminación de uno o más sonidos al inicio de la palabra.

africada: (47)
> consonante cuya pronunciación comienza con un cierre de los órganos (momento oclusivo) seguido por un estrechamiento (momento fricativo).

alfabeto: (81)
> conjunto de símbolos convencionales que representan gráficamente los sonidos.

alófono: (64)
> sonido que manifiesta concretamente a un fonema.

alveolar: (49)
> sonido articulado con un contacto o acercamiento de la lengua a los alvéolos.

alvéolos: (31)
> zona rugosa comprendida entre el borde interior de los dientes incisivos superiores y el paladar.

analogía: (145)
> cambio que ajusta la forma fonética de una palabra a la de otra con la que tiene alguna semejanza morfológica, semántica, etc.

aparato fonador: (27)
> conjunto de los órganos que permiten la producción de los sonidos.

ápice: (31)
> punta o extremo anterior de la lengua.

apócope: (143)
> supresión de uno o más sonidos al final de la palabra.

archifonema: (69)
> unidad fonológica constituida por el conjunto de los rasgos distintivos comunes a una pareja de fonemas que se neutralizan en un determinado contexto.

aritenoides: (28)

   cartílagos de la laringe a los que se encuentran sujetas las cuerdas vocales.

asibilado: (83)

   sonido que se pronuncia produciendo una especie de silbido, parecido al de [s].

asimilación: (144)

   cambio mediante el cual un sonido se hace más parecido a otro.

aspiración: (125)

   sonido que resulta del roce del aire contra la faringe o el velo cuando se emite con relativa fuerza con el canal bucal abierto.

átona: (165)

   sílaba o palabra que no tiene acento; equivale a *inacentuada*.

bilabial: (48)

   consonante que se pronuncia con un contacto o aproximación de ambos labios.

bronquios: (27)

   los dos conductos en que se divide la tráquea al conectarse con los pulmones, dentro de los cuales se siguen ramificando cada vez más.

canal: (15)

   medio físico que sirve de vehículo al sonido para llegar del hablante al oyente.

cantidad: (186)

   mayor o menor duración de un sonido.

cavidad bucal (oral): (30)

   espacio comprendido entre la faringe y los labios, que tiene como límite superior los alvéolos, el paladar duro y el velo del paladar.

cavidad infraglótica: (27)

   conjunto de órganos propios de la respiración, que se encuentran situados por debajo de la laringe.

cavidad nasal: (31)

   espacio hueco que se extiende desde la parte de atrás del velo hasta la nariz.

cavidad supraglótica: (30)

   conjunto formado por la faringe, la boca y las fosas nasales.

ceceo: (124)

   fenómeno consistente en pronunciar /θ/ "z" en lugar de /s/.

código: (15)

   sistema de signos que permite comunicar mensajes.

competencia lingüística: (14)

   conocimiento que los hablantes tienen de su lengua, que les permite producir y entender enunciados aceptables.

conativa: (15)

   función lingüística que permite obtener una reacción de parte del oyente.

conmutación: (68)

   procedimiento que consiste en intercambiar un sonido por otro en un contexto dado para determinar si la sustitución produce un cambio de sentido.

consonante: (41)

   sonido que se articula con un cierre o estrechamiento de la cavidad bucal y que en español no puede ser núcleo de la sílaba.

contexto: (65)

cada una de las posiciones donde puede aparecer una unidad lingüística.

cricoides: (28)

cartílago en forma de anillo que constituye la base de la laringe.

cuerdas vocales: (29)

membranas mucosas o pliegues musculares, muy flexibles y elásticos, situados horizontalmente en el interior de la laringe, que entran en vibración a causa de la presión ejercida por el aire que sale de los pulmones.

cultismo: (193)

palabra que conserva casi la misma forma fonética del término del que deriva.

dental: (49)

sonido que se pronuncia mediante un contacto de la lengua y los dientes.

deslizada: (103)

nombre genérico con el que se designa a la semiconsonante y la semivocal.

dialectología: (16)

disciplina que describe la variedad lingüística producida a lo largo del espacio geográfico, las diferencias existentes entre una región y otra.

dígrafo: (91)

secuencia de dos letras que representan un solo sonido o fonema.

diptongo: (105)

presencia de dos vocales, de las que por lo menos una tiene que ser alta, en la misma sílaba.

diptongo creciente: (106)

el que inicia con la vocal alta, como semiconsonante, y termina con el núcleo.

diptongo decreciente: (106)

el que inicia con el núcleo y termina con la vocal alta, como semivocal.

disimilación: (145)

proceso que hace diferente o menos parecido a un sonido con respecto a otro.

distribución: (65)

conjunto de todos los contextos posibles de una unidad lingüística.

distribución complementaria: (65)

relación existente entre dos unidades (sonidos) que no tienen ningún contexto en común: donde aparece una, nunca aparece la otra y viceversa.

distribución equivalente: (66)

relación existente entre dos unidades (sonidos) que pueden aparecer en los mismos contextos.

distribución (variación) libre: (67)

relación existente entre dos unidades (sonidos) que pueden ser intercambiadas en los mismos contextos sin alterar el significado de las palabras.

doblete etimológico: (193)

pareja de palabras, una culta y otra popular, que derivan de un mismo término.

dorso: (31)

superficie superior de la lengua.

elisión: (143)

nombre aplicado a cualquier tipo de eliminación de sonidos en una palabra.

emisor: (15)

persona que produce y envía el mensaje en el proceso de comunicación.

emotiva: (15)

función de la lengua que hace posible que el hablante exprese su actitud o su estado de ánimo.

entonación: (171)

curva melódica con que se pronuncia o se "*canta*" un enunciado.

epéntesis: (143)

adición de uno o más sonidos en el interior de la palabra.

espiración: (27)

fase de la respiración durante la cual se expulsa el aire de los pulmones.

estética: (15)

función lingüística que se manifiesta en la expresión poética o artística.

etimología popular: (146)

proceso que consiste en un cruce de palabras causado por un error de interpretación con relación a una de ellas.

faringe: (31)

cavidad situada al fondo de la boca, entre la laringe y la cavidad nasal.

fática: (15)

función lingüística que sirve para establecer contacto y verificar que el proceso de la comunicación se realiza con éxito.

fonación: (27)

proceso de producción de los sonidos lingüísticos.

fonema: (62)

unidad fonológica compuesta por un conjunto de rasgos distintivos, capaz de diferenciar una palabra de otra.

fonética: (16)

ciencia que se ocupa de estudiar los sonidos lingüísticos en cuanto realidades materiales, sin atender a su función.

fonética acústica: (20)

la que estudia la estructura y la composición física del sonido.

fonética articulatoria: (20)

la que estudia el proceso de producción de los sonidos.

fonética auditiva: (20)

la que estudia el proceso de percepción de los sonidos.

fonética combinatoria: (20)

la que estudia los cambios que sufren los sonidos al combinarse con otros.

fonética geográfica: (20)

la que estudia las diferencias de pronunciación de los sonidos entre unas regiones y otras donde se habla la lengua.

fonética histórica: (20)

la que estudia los cambios que experimentan los sonidos a lo largo del tiempo.

fonología: (17)

ciencia que estudia la función de los sonidos lingüísticos y las reglas que determinan sus combinaciones.

fricativa: (47)

consonante que se articula con un estrechamiento del canal bucal por donde el aire pasa rozando.

fricativización: (190)

proceso mediante el cual una consonante se convierte en fricativa.

función demarcativa: (61)

la que realizan algunos elementos fonéticos que permiten reconocer los límites de una palabra o morfema.

función distintiva: (61)

la que realizan los fonemas y los rasgos distintivos al diferenciar una unidad significativa de otra.

glotis: (29)

espacio triangular comprendido entre ambas cuerdas vocales.

grafema: (18)

signo gráfico que representa en la escritura un sonido o fonema.

grupo fónico: (172)

secuencia lingüística precedida y seguida por pausa.

grupo tónico: (152)

unidad fonética constituida por un conjunto de sonidos que depende o gira alrededor de una sílaba acentuada.

habla: (14)

realización, puesta en práctica de la lengua en un momento determinado.

hiato: (107)

secuencia de dos vocales que constituyen núcleos silábicos diferentes.

homólogo: (156)

se dice de un sonido que es igual a otro.

ideograma: (81)

imagen o dibujo con el que se representa una idea.

inspiración: (27)

momento del acto respiratorio durante el cual se absorbe el aire exterior.

interdental: (49)

consonante que se pronuncia introduciendo el ápice de la lengua entre los bordes de los dientes.

labiodental: (49)

consonante que se pronuncia uniendo o acercando el labio inferior al borde de los dientes incisivos superiores.

laringe: (28)

cavidad situada encima de la tráquea en cuyo interior están las cuerdas vocales.

lateral: (48)

consonante en cuya realización el aire sale por uno o por los dos lados de la cavidad bucal.

latín vulgar: (185)

lengua hablada por el pueblo en el antiguo Imperio Romano, diferente del latín clásico, usado por los escritores, los intelectuales, etc.

lengua: (13)

sistema abstracto, colectivo y creativo de comunicación oral.

lenguaje: (13)

todo medio o mecanismo que permite la comunicación.

letra: (18)

signo gráfico (grafema), unidad de la escritura, que representa un fonema.

lingüística: (16)

ciencia que estudia la estructura y el funcionamiento de las lenguas en todas sus dimensiones.

lingüística aplicada: (16)

la que pone los métodos y los resultados de la Lingüística al servicio de otras áreas, como la enseñanza de idiomas, la traducción.

lingüística histórica: (16)

la que estudia los cambios que experimenta la lengua a través del tiempo.

líquida: (48)

consonante con rasgos vocálicos que se pronuncia con mayor abertura del canal bucal y con mayor sonoridad que las demás consonantes.

lugar de articulación: (41)

zona de la cavidad bucal donde se realiza el acercamiento o el contacto entre un órgano activo y otro pasivo para producir el sonido.

margen silábico: (148)

posición que precede o sigue al núcleo de la sílaba; el margen precedente se llama *prenuclear* y el siguiente, *postnuclear*.

metalingüística: (15)

función lingüística que permite hablar sobre la lengua misma.

metátesis: (145)

cambio de posición de un sonido dentro de la palabra.

modo de articulación: (41)

grado de abertura o de cierre que adoptan los órganos en un lugar de la cavidad bucal para la producción de un sonido.

morfología: (16)

ciencia que realiza el estudio de la estructura y la formación de las palabras.

nasal: (48)

sonido que se pronuncia dejando salir el aire por la nariz.

neutralización: (68)

pérdida de la función distintiva de una oposición de fonemas en un contexto determinado.

núcleo silábico: (147)

posición central de la sílaba, ocupada siempre en español por una vocal.

obstruyente: (46)

consonante en cuya articulación hay un obstáculo, un cierre o un estrechamiento del canal bucal, que dificulta la salida del aire.

oclusiva: (46)

consonante en cuya pronunciación el canal bucal se cierra completamente, impidiendo por un momento la salida del aire.

onda sonora: (20)

vibración o movimiento de las moléculas del aire que se propaga a 340 metros por segundo por el espacio.

oposición fonológica: (68)

relación que existe entre dos unidades (fonemas) que al ser conmutadas o intercambiadas en un contexto, producen un cambio de sentido.

oral: (41)

sonido que se articula dejando salir el aire por la boca.

palabra aguda: (170)

la que recibe el acento sobre la última sílaba.

palabra enclítica: (165)

la que no tiene acento y se pronuncia unida a la palabra anterior.

palabra esdrújula: (170)

la que recibe el acento sobre la antepenúltima sílaba.

palabra imposible: (70)

unidad constituida por una combinación irregular y prohibida de fonemas.

palabra llana: (170)

la que recibe el acento sobre la penúltima sílaba.

palabra potencial: (70)

unidad que, aunque no existe realmente, podría existir, porque está bien formada fonológicamente: contiene una combinación permitida de fonemas.

palabra proclítica: (165)

la que no tiene acento y se pronuncia unida a la palabra siguiente.

palabra real: (70)

la que existe efectivamente en la lengua.

paladar: (31)

zona superior de la cavidad bucal, llamada *techo de la boca*, comprendida entre los alvéolos y el velo o paladar blando.

palatal: (49)

sonido pronunciado con un contacto o acercamiento de la lengua al paladar.

par mínimo: (68)

pareja de palabras que coinciden en todos sus fonemas, menos en uno.

paragoge: (143)

adición de uno o más sonidos al final de la palabra.

pausa: (175)

momento de silencio que se realiza al final o en el interior de un enunciado.

posición explosiva: (148)

nombre dado al margen inicial de la sílaba.

posición implosiva: (148)

nombre dado la margen final de la sílaba.

posición protónica: (188)

la que ocupa un sonido situado antes de la sílaba acentuada de la palabra.

posición postónica: (188)

la que ocupa un sonido situado después de la sílaba acentuada de la palabra.

pragmática: (16)

ciencia que explica cómo el sentido de las palabras y de las oraciones depende de la situación en la que son utilizadas.

proceso fonético: (143)

cambio que experimenta un sonido al combinarse con otros.

progresiva: (145)

tipo de asimilación poco frecuente en la que un sonido influye al que le sigue.

prótesis: (143)

adición de uno o más sonidos al inicio de la palabra.

pulmones: (27)

órganos de la respiración compuestos por dos masas esponjosas situadas en el interior de la cavidad torácica.

rasgo distintivo: (63)

característica fonética que permite diferenciar un fonema de otro.

receptor: (15)

persona que recibe el mensaje lingüístico, el oyente.

recíproca: (145)

tipo de asimilación en la que dos sonidos vecinos se influyen mutuamente, dando a veces como resultado un segmento diferente a los dos.

referencial: (15)

función básica de la lengua que permite hablar del mundo exterior.

referente: (15)

realidad o cosa a la que se refiere el mensaje lingüístico.

regresiva: (144)

tipo de asimilación en la que el sonido siguiente influye al anterior.

rehilado: (126)

sonido consonántico producido con un zumbido o vibración adicional del aire.

románica: (185)

se aplica a cada una de las lenguas derivadas del latín, como el portugués, el español, el francés, el italiano.

semántica: (16)

ciencia que analiza el significado de las palabras y de las oraciones.

semiconsonante: (102)

variante de una vocal alta situada en la posición de margen inicial de un diptongo o de un triptongo.

semivocal: (102)

variante de una vocal alta situada en la posición de margen final de un diptongo o de un triptongo.

seseo: (124)

fenómeno que consiste en pronunciar /s/ en lugar de /θ/ "z".

sicolingüística: (16)

rama de la lingüística que estudia las interrelaciones entre el lenguaje y las estructuras conoscitivas o mentales.

sílaba: (146)

unidad fonética superior al fonema que puede definirse como un núcleo vocálico susceptible de ir acompañado por márgenes consonánticos.

sílaba abierta: (149)

la que termina con vocal.

sílaba cerrada: (149)

la que termina con consonante.

sinalefa: (153)

pronunciación en una sílaba de vocales que entran en contacto al combinarse una palabra con la siguiente dentro del enunciado.

síncopa: (143)

eliminación de uno o más sonidos en el interior de la palabra.

sinéresis: (108)

pronunciación en una sola sílaba, como diptongo, de dos vocales que forman hiato en una palabra.

sintaxis: (16)

estudio de las relaciones de las palabras en el interior de la oración.

sociolingüística: (16)

rama de la lingüística que analiza la variación y el funcionamiento de la lengua dentro del contexto social en el que es utilizada.

sonorización: (144)

proceso que convierte en sonoro un sonido originalmente sordo.

sonoro: (41)

sonido producido con vibración de las cuerdas vocales.

sordo: (41)

sonido producido sin vibración de las cuerdas vocales.

suprasegmento: (61)

rasgo fonético que no se combina con otros para formar secuencias, sino que se superpone a unidades superiores al fonema.

tensión: (119)

energía y rigidez con que los órganos articulatorios realizan el movimiento o el contacto requerido para la pronunciación de un sonido.

tiroides: (28)

cartílago de la laringe que junto al cricoides forma un tubo ancho dentro del cual se sitúan las cuerdas vocales.

tonema: (173)

variación del tono que se realiza en la parte final de un grupo fónico.

tónica: (168)

sílaba o palabra que tiene acento; equivale a *acentuada*.

transcripción: (81)

representación escrita de los alófonos (*fonética*) y de los fonemas (*fonológica*).

tráquea: (27)
> especie de tubo que conecta los brionquios y, consecuentemente, los pulmones, con la laringe.

triptongo: (107)
> presencia de tres vocales dentro de una misma sílaba.

ultracorrección: (146)
> fenómeno que ocurre cuando el hablante interpreta como incorrecta una forma correcta y la sustituye por la que él considera normal.

unidad acentuable: (165)
> secuencia de fonemas sobre la que recae el acento: la sílaba.

unidad acentual: (165)
> secuencia fonética dentro de la que se hace el contraste entre una sílaba acentuada y otras sin acento.

úvula: (31)
> apéndice carnoso que cuelga de la parte posterior del velo del paladar.

variante libre: (67)
> manifestación fonética de un fonema que no está condicionada por el contexto y que al ser intercambiada por otra no altera el sentido de la palabra.

velar: (49)
> sonido que se pronuncia mediante un contacto o acercamiento de la lengua al velo del paladar.

velo del paladar: (31)
> parte posterior, blanda, del *techo de la boca*.

vibrante: (48)
> consonante que se articula mediante un movimiento vibratorio del ápice de la lengua contra los alvéolos.

vocal: (41)
> sonido producido dejando salir el aire sin ningún tipo de obstáculo, libremente.

vocal alta (o cerrada): (42)
> la que se pronuncia elevando la lengua, acercándola al paladar o al velo.

vocal anterior: (43)
> la que se pronuncia colocando la lengua hacia la zona delantera de la cavidad bucal, cerca del paladar.

vocal baja (o abierta): (42)
> la que se pronuncia alejando mucho la lengua del techo de la boca, creando así una gran abertura del canal bucal.

vocal central: (43)
> la que se pronuncia dejando la lengua en posición neutra, en medio de la boca.

vocal media: (42)
> la que, con relación a una vocal alta, se pronuncia bajando más la lengua y separándola del techo de la cavidad bucal, sin llegar a la posición de una baja.

vocal nasalizada (oronasal): (103)
> la que por estar en contacto con consonantes nasales, es pronunciada dejando salir el aire por la boca y por la nariz al mismo tiempo.

vocal posterior: (43)

la que se pronuncia haciendo retroceder el posdorso de la lengua hacia la zona del velo del paladar.

vocal redondeada: (103)

la que se pronuncia moviendo los labios hacia el frente.

yeísmo: (131)

fenómeno que consiste en pronunciar la /ǰ/ "y" en lugar de la /λ/ "ll".

yod: (187)

sonido palatal, semiconsonántico o semivocálico, que acompaña al núcleo de una sílaba.

SÍMBOLOS DEL ALFABETO FONÉTICO

′   indica el acento sobre las vocales tónicas del enunciado.

˜   indica que la vocal sobre la que está colocado se ha nasalizado.

:   indica que el sonido precedente es más largo de lo normal.

‿   señala la unión de dos o más vocales en una sola sílaba.

| indica una pausa breve en el interior de la oración.

‖   indica la pausa mayor de final de la oración.

Vocales

letra o grafema del alfabeto ortográfico:	símbolo del alfabeto fonético:	descripción del sonido	ejemplo
a, ha	a	central, bajo, oral	[akaβár]
	ã	central, bajo, nasalizado	[māmá]
e, he	e	anterior, medio, oral	[elexír]
	ẽ	anterior, medio, nasalizado	[mēnú]
o, ho	o	posterior, medio, oral	[olór]
	õ	posterior, medio, nasalizado	[mõnéδa]
i, hi, y	j	anterior, semiconsonante	[djéṇte]
	i̯	anterior, semivocal	[bái̯le]
	i	anterior, alto, oral	[líkiδo]
	ĩ	anterior, alto, nasalizado	[kamĩnár]
u, hu	w	posterior, semiconsonante	[kwátro]
	u̯	posterior, semivocal	[káu̯sa]
	u	posterior, alto, oral	[ustéδ]
	ũ	posterior, alto, nasalizado	[mũɲéka]

Consonantes obstruyentes

letra o grafema del alfabeto ortográfico:	símbolo del alfabeto fonético:	descripción del sonido	ejemplo
p	p	bilabial, oclusivo, sordo	[pápa]
t	t	dental, oclusivo, sordo	[táṇto]
c, qu, k	k	velar, oclusivo, sordo	[kása] [késo]
b, v	b	bilabial, oclusivo, sonoro	[bála] [bíno]
	β	bilabial, fricativo, sonoro	[lóβo] [léβe]
d	d	dental, oclusivo, sonoro	[dóṇde]
	δ	interdental, fricativo, son.	[káδa]
g, gu	g	velar, oclusivo, sonoro	[gáto] [gḗra]
	γ	velar, fricativo, sonoro	[áγo] [áγila]
ch	č	palatal, africado, sordo	[mučáčo]
f	f	labiodental, fricativo, sor.	[kafé]
z, c	θ	interdental, fricativo, sor.	[θóna] [aθér]
s	s	alveolar, fricativo, sordo	[sálsa]
	ṣ	alveolar, fricativo, sonoro	[míṣmo]
y	ɟ	palatal, africado, sonoro	[ɟéso]
	j	palatal, fricativo, sonoro	[ajér]
g, j	x	velar, fricativo, sordo	[xéṇte] [xéfe]
	h	faríngeo, fricativo, sordo	[héṇte]

Consonantes no obstruyentes

letra o grafema del alfabeto ortográfico:	símbolo del alfabeto fonético:	descripción del sonido	ejemplo
m	m	bilabial, nasal	[mésa] [káma]
n	m	bilabial, nasal	[umpéso]
	ɱ	labiodental, nasal	[eɱférmo]
	n̪	interdental, nasal	[ónθe]
	ṇ	dental, nasal	[aṇdár]
	n̠	palatalizado, nasal	[ánǰo]
	ŋ	velar, nasal	[téŋgo]
	n	alveolar, nasal	[náða] [kárne]
ñ	ɲ	palatal, nasal	[káɲa]
l	ḷ	interdental, lateral	[kaḷθáðo]
	ḻ	dental, lateral	[fáḻda]
	l	alveolar, lateral	[láðo] [papél]
ll	λ	palatal, lateral	[káλe]
r	r	alveolar, vibrante simp.	[péra]
	ɹ	alveolar, fricativo, son.	[koméɹ]
rr, r	r̄	alveolar, vibrante múlt.	[pér̄o] [r̄ísa]

245

Lugar ➤		Anterior	Central	Posterior
M *o* *d* *o*	Semicons.	j		w
	Semivocal	i̯		u̯
	Alta	i		u
	Media	e		o
	Baja		a	

Cuadro de los sonidos vocálicos

lugar ➤ *modo*▼	bilabial		labiod.		dental		interd.		alveolar		palatal		velar	
	sor	son	sor	son	sor	son	sor	son	sor	son	sor	son	sor	son
oclusivo	p	b			t	d							k	g
fricativo		β	f				θ	δ	s	ş		ǰ	x	γ
africado											č	ɟ		
nasal		m		ɱ		ņ		ṇ		n		ɲ		η
lateral						ḷ		ḷ		l		λ		
vibr. s.										r				
vibr. m.										r̄				

Cuadro de los sonidos consonánticos

Bibliografía mínima

Alarcos Llorach, Emilio. 1968. *Fonología Española*. Madrid: Gredos.

Barrutia, Richard y Armin Schwegler. 1994. *Fonética y Fonología Españolas*. 2ª edición. New York: John Wiley & Sons, Inc.

Dalbor, John. 1980. *Spanish Pronunciation: Theory and Practice*. 2ª edición. Nueva York: Holt, Rinehart and Winston.

Gili Gaya, Samuel. 1962. *Elementos de fonética general*. Madrid: Gredos.
_____ . 1971. *Nociones de gramática histórica*. Barcelona: Bibliograf.

Harris, James. 1975. *Fonología generativa del español*. Barcelona: Edit. Planeta.

Lapesa, Rafael. 1968. *Historia de la lengua española*. 7ª edición. New York: Las Americas Publishing Company.

Lipski, John. 1996. *El español de América*. Madrid: Cátedra.

Malmberg, Bertil. 1970. *La fonética*. Buenos Aires: Editorial Universitaria de Buenos Aires.

Moreno de Alba, José. 1993. *El español en América*. 2ª edición. México: Fondo de Cultura Económica.

Navarro Tomás, Tomás. 1972. *Manual de pronunciación española*. Madrid: Consejo Superior de Investigaciones Científicas.

Quilis, Antonio. 1976. *Lengua Española I* (unidades didácticas 1, 2 y 3) y *Lengua Española I* (unidades didácticas 4, 5 y 6). Madrid: Universidad Nacional de Educación a Distancia.

Quilis, Antonio y Joseph Fernández. 1972. *Curso de fonética y fonología españolas*. Madrid: Consejo Superior de Investigaciones Científicas.

Rosenblat, Ángel. 1970. *El castellano de España y el castellano de América. Unidad y diferenciación*. Madrid: Taurus.

Teschner, Richard V. 1995. *Camino real. Fonética, fonología y práctica de los sonidos del español*. New York: McGraw-Hill.